Rencontre à Santa Fe

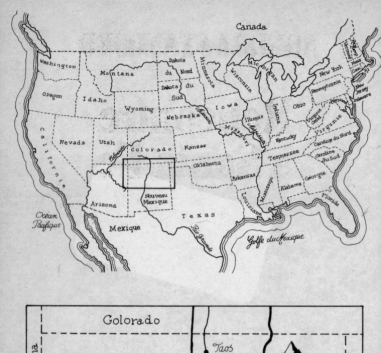

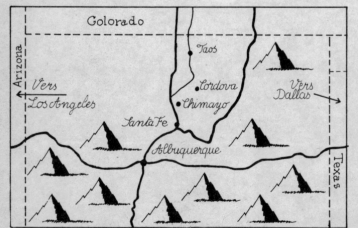

SONDRA STANFORD

Rencontre à Santa Fe

Le temps d'un livre
Le temps d'un rêve

Titre original : *Yesterday's Shadow* (100)
© 1981, Sandra Stanford
Originally published by SILHOUETTE BOOKS
a Simon & Schuster division of Gulf
& Western Corporation, New York

Traduction française de : Claire Bélis
© 1983, Éditions J'ai Lu
31, rue de Tournon, 75006 Paris

1

– Je n'arrive pas à croire que tu sois vraiment ici! s'écria Nathalie Taylor en serrant la main d'Alys entre les siennes. J'avais tellement peur que tu ne puisses pas venir! Tu as l'air si occupée par ton agence de publicité que je craignais que tu ne te décommandes au dernier moment.

Alys se mit à rire.

– Disons que je ne chôme pas! Comme je ne me suis pas arrêtée depuis trois ans que nous avons monté cette affaire ensemble, Cal et moi, il devenait urgent que je prenne des vacances... Et me voilà!

Elle se laissa aller paresseusement contre les oreillers. C'était presque comme au bon vieux temps, avec Nat installée au pied du lit, ses longues jambes repliées sous elle. Nat avait vingt-cinq ans – un an de moins qu'Alys – mais elle avait encore l'air d'une adolescente et elle était toujours aussi bavarde.

– Je suis contente que tu sois venue, poursuivit Nat, autant pour maman que pour moi.

– Moi aussi, je suis contente d'être là, répondit Alys, soudain grave. Dis-moi franchement : comment va-t-elle? Indépendamment de sa paralysie, je la trouve très pâle et amaigrie.

– Le docteur affirme qu'elle est en bonne voie, répondit Nathalie. Et je crois qu'il a raison. Si tu l'avais vue juste après sa première attaque, il y a deux mois!

– Mais elle est encore trop malade pour se passer d'une infirmière à plein temps, fit remarquer Alys songeant à la jeune et jolie personne qu'elle avait croisée au rez-de-chaussée en allant rendre visite à tante Fran.

– C'est-à-dire, oui et non, expliqua Nathalie. L'infirmière n'est là que pour s'occuper de la rééducation et pour prévenir une rechute. Ce n'est pas le médecin qui a insisté pour l'avoir à demeure, c'est papa... il ne vit plus depuis cette histoire.

Alys imaginait sans peine l'angoisse d'oncle Stuart, d'autant plus que lui et sa femme avaient toujours été extrêmement unis. On ne pouvait penser à l'un sans évoquer l'autre aussitôt.

– J'espère que Jim et moi serons aussi heureux qu'eux, ensemble, murmura Nathalie, dont les idées avaient apparemment suivi le même cours.

– J'en suis sûre, répondit vivement Alys. Sans le connaître, je sais déjà que Jim est un homme merveilleux... puisque tu l'aimes!

– Tu as toujours eu le don de me remonter le moral, dit Nat en souriant.

Alys lui rendit son sourire.

– Alors, dis-moi, à quand le mariage?

– En principe, en juin. Bien sûr, tout dépendra de maman, mais c'est elle qui a fixé la date et qui a tenu à ce que nous célébrions les fiançailles dès maintenant. A croire qu'elle a peur de se retrouver avec une vieille fille sur les bras si je ne saisis pas ma chance au vol!

Alys trouva l'idée pour le moins saugrenue. Jolie comme elle était, avec ses longs cheveux châtain clair, ses yeux gris pétillants et son sourire contagieux, Nat ne risquait pas d'être abandonnée longtemps à sa solitude!

– Et Noël, ton frère jumeau, demanda Alys, a-t-il enfin rencontré la femme de sa vie?

– Tu le connais! Il est toujours aussi volage! Maman commence d'ailleurs à s'inquiéter pour son avenir. L'ennui, avec Noël, c'est qu'il est beaucoup trop séduisant. Les filles sont prêtes à tout pour attirer son attention...

– Ça a toujours été comme ça! Tu te souviens de cette Laurence, quand nous avions douze ou treize ans? Elle était folle de lui alors que lui ignorait jusqu'à son existence!

– Et nous, on lui avait promis de lui obtenir un rendez-vous avec lui si elle nous offrait le cinéma et une limonade après la séance! C'est ce qu'elle a fait, mais nous, nous n'avons pas pu tenir parole!

– Et nous n'avions même pas de quoi la rembourser! Nous avions dépensé tout notre argent de poche du mois... Il a fallu supplier ton père de nous laisser balayer la galerie pour avoir enfin de quoi payer nos dettes. Je ne pardonnerai jamais à Noël d'avoir été aussi peu coopératif!

Le temps passa vite à échanger les nouvelles dans cette chambre où Alys avait passé tant de nuits. Elle était rose de plaisir mais, sous sa gaieté apparente, elle était tendue, attendant que Nat fasse allusion à son cousin. Pour rien au monde elle n'aurait pu se résoudre à en parler la première. Et une heure plus tard, Nat s'en allait sans en avoir rien dit, en déclarant qu'Alys avait besoin d'un peu de repos avant de se préparer pour la soirée.

Alys se sentait en effet assez fatiguée. La journée avait été longue, entre le voyage en avion de New York à Albuquerque et la route jusqu'à Santa Fe dans la petite voiture de sport de Nat. Il fallait encore qu'elle défasse ses bagages et qu'elle prenne un bain. Louisa, la métisse américano-mexicaine qui avait élevé tout ce petit monde, ravie de revoir Alys, avait proposé de l'aider, mais elle avait refusé. Louisa avait déjà suffisamment de travail avec la préparation de la fête qui accompagnait les fiançailles, ce soir. Alys se força à se lever, défit ses valises, prit un long bain et dormit une demi-heure. C'était exactement ce dont elle avait besoin. A présent, elle était prête à affronter la soirée. Elle retira sa robe de chambre et alla chercher des sous-vêtements dans la commode. La fine chaîne en or qu'elle portait autour du cou glissa entre ses seins, et le petit objet qui y était suspendu frotta légèrement sa peau délicate. Alys l'effleura machinalement en soupirant. Elle avait l'impression d'avoir commis un véritable abus de confiance en gardant son secret pendant trois ans. Mais le fait était là : elle n'en avait rien dit aux Taylor ni à son père avant sa mort. Et maintenant il était trop tard. Elle n'avait plus le courage de leur dire la vérité. C'était étrange que Nat n'ait pas fait une seule fois allusion à Rand... Etait-il encore à l'autre bout du monde, quelque part du côté du golfe Persique?...

Vêtue d'un minuscule slip et d'un soutien-gorge, elle alla s'asseoir à sa coiffeuse et entreprit de se maquiller. Elle étudia d'un œil critique l'ovale délicat de son visage. Elle avait le teint mat, trop foncé à son goût. Elle aimait les peaux claires et nacrées comme celle de Nat. Tout en elle était sombre, se dit-elle non sans amertume : ses cheveux noirs coupés court qui lui faisaient un casque soyeux, ses yeux marron foncé qu'elle voyait pareils à des étangs sauvages, surmontés de sourcils à l'arc parfait, et ombrés de cils épais. Ses pensées elles-mêmes étaient sombres car, malgré la joie qu'elle ressentait pour Nat, elle ne pouvait s'empêcher de comparer sa propre situation à celle de la jeune fiancée...

Soudain agacée, Alys tourna résolument le dos à

son miroir qui semblait la narguer comme s'il savait ce qu'elle cachait. Elle choisit dans la penderie une robe en velours cerise. « C'est tout à fait ce qui convient pour l'occasion, songea-t-elle avec mélancolie, en l'enfilant. C'est gai, lumineux, romantique... mais destiné à plaire à qui? »

Une fois prête, et bien que fâchée contre elle-même, elle hésita un instant avant de descendre pour rejoindre les autres. Craignait-elle qu'on puisse lire dans son cœur et que son secret si bien gardé ne soit percé à jour? Ou bien ne pouvait-elle s'empêcher de ressentir une pointe de jalousie envers Nat? Elle s'attendait à ce qu'on l'interroge, sans arrière-pensées mais avec précision, sur sa vie sentimentale, et elle appréhendait d'avoir à éluder les questions. Subitement prise de panique, elle se rendit compte qu'elle avait eu tort de venir. Elle aurait voulu pouvoir s'enfuir et rentrer chez elle, à New York, pour ne plus être sur la défensive. Bien sûr, c'était hors de question. Il fallait descendre, se mêler aux invités et sourire comme si de rien n'était, ne serait-ce que par égard pour Nat, pour oncle Stuart et pour tante Francesca.

Elle s'était tellement attardée dans sa chambre que lorsqu'elle fit enfin son apparition, la maison était déjà pleine de monde. Elle s'arrêta sur le pas de la porte, n'osant entrer dans le salon, intimidée comme toujours quand elle avait à affronter tant de gens à la fois. La pièce, déjà immense, paraissait encore plus grande à cause de ses murs blancs. Son austère sobriété était adoucie par une vaste cheminée d'angle où flambait un feu de bois, par quelques tableaux parmi lesquels elle reconnut aussitôt deux toiles de son père, et par un plafond aux énormes poutres, typiques du Nouveau-Mexique. Le parquet, bien ciré, était en lattes de pin recouvertes de tapis navajos aux couleurs vives.

Assise sur un canapé près du feu, tante Francesca était élégante et imposante malgré les traces de la maladie. Elle n'avait rien perdu de sa distinction aristocratique, héritée des conquistadores, ses ancêtres espagnols. Elle avait relevé ses cheveux en chignon et portait une longue robe noire qui dissimulait la paralysie de sa jambe et de son bras gauches. Elle s'exprimait, bien sûr, avec une certaine difficulté, et Alys sentit son cœur se gonfler d'amour et de pitié en la voyant en train de parler avec la personne assise à côté d'elle.

Elle s'apprêtait à aller la rejoindre lorsqu'un homme aux cheveux gris se précipita vers elle, les bras grands ouverts.

– Oncle Stu! s'exclama Alys, en se jetant à son cou.

Il la serra contre lui, l'embrassa et s'écarta un peu pour la regarder.

– Tu es plus belle que jamais, ma chérie. Tu es devenue le vivant portrait de ta mère!

– Merci, murmura-t-elle, touchée par un pareil compliment. Toi aussi, tu m'as l'air en pleine forme!

– Avec quelques cheveux blancs en plus, répondit-il. Mais la vie n'a pas été facile ces derniers temps.

– Je sais...

Il lui saisit les mains.

– Je ne suis pas encore remis, non plus, de la mort de ton père, lui confia-t-il. C'était l'ami le plus extraordinaire qui soit.

– C'est aussi ce qu'il disait de toi, oncle Stuart, répondit-elle, la gorge serrée.

Stuart Taylor, très ému, lui fit un sourire.

– Quand vas-tu te décider à rentrer une bonne fois à la maison pour que nous ayons l'œil sur toi? Je me fais autant de souci pour toi que pour Noël et

Nat! Tu es comme une fille, pour ta tante et moi...

C'était vrai. Bien qu'il n'existât aucune parenté entre son père et les Taylor, aucun lien n'aurait pu être plus fort que l'affection qui les unissait, sans commune mesure avec de simples relations d'affaires.

Franklin Barclift, le père d'Alys, avait été l'un des peintres les plus connus de la côte Ouest, même s'il sortait rarement de son atelier de Taos. Il laissait à Stuart le soin d'exposer et de vendre ses toiles dans sa galerie d'art de Santa Fe. Quand la mère d'Alys était morte, Francesca Salinas Taylor avait ouvert son cœur et sa maison à cette petite orpheline de sept ans. Alys avait été à l'école à Santa Fe et avait vécu chez les Taylor comme une enfant de la maison. Tout le monde avait été satisfait de cet arrangement. Elle s'entendait parfaitement bien avec son père, et passait la plupart de ses vacances et de ses week-ends auprès de lui, à Taos, dans sa petite maison. Mais c'étaient Fran et Stuart qui lui avaient donné un foyer stable et une véritable vie de famille permettant ainsi à son artiste de père de travailler en paix, libéré du souci quotidien que représentait l'éducation d'une petite fille.

En regardant oncle Stuart, Alys sentit les larmes lui monter aux yeux. Elle ne pouvait pas supporter de le voir marqué par l'âge et l'anxiété, ni que tante Fran soit malade, et après deux ans, elle n'arrivait toujours pas à accepter l'idée que son père était mort et qu'elle ne le reverrait jamais plus...

L'oncle Stuart adressa brusquement un signe de tête à quelqu'un qui se trouvait derrière elle.

– Alys, il y a là une personne qui désire te voir...

Elle se retourna et s'écria, radieuse, en se jetant dans ses bras :

– Père Alonzo! Quel plaisir de vous revoir! On ne m'avait pas dit que vous seriez là, ce soir!

Le prêtre se mit à rire.

– Manquer les fiançailles de Nathalie? Et sachant que tu étais ici? Mais, mon enfant, je me demande bien ce que je pourrais avoir de mieux à faire!

Alys sentit encore une fois les larmes lui monter aux yeux. Le père Alonzo était un autre des amis très chers de son père. Et il n'avait pas changé, il était exactement le même que celui qu'elle avait connu étant enfant. La sérénité dont son visage était empreint défiait les atteintes de l'âge.

– Vous habitez toujours votre petit village indien?

– Bien sûr. Ces gens ont besoin de moi comme moi j'ai besoin d'eux. Mais je me sens bien seul maintenant que ton père ne vient plus me rendre visite. Je n'ai plus personne avec qui jouer aux échecs. Stuart, lui, n'a jamais voulu s'y mettre!

Alys et Stuart éclatèrent de rire.

– Allons, avouez-le, ce qui vous manque le plus ce sont les discussions que vous aviez avec papa, plutôt que les parties d'échecs!

Le père Alonzo hocha la tête en souriant.

– Eh bien oui, je le reconnais... Nous en avons même eu de très vives! ajouta-t-il en soupirant.

Bien que protestant convaincu, le père d'Alys s'était lié d'une amitié profonde et durable avec le père Alonzo, cousin éloigné de Francesca. Rien ne pouvait faire davantage plaisir aux deux hommes que de passer une soirée ensemble, à discuter à perte de vue de théologie ou de politique et d'envisager des solutions à tous les problèmes. Alys comprenait sans peine le vide immense qu'avait laissé la disparition de son père dans la vie du prêtre.

Nat, escortée d'un séduisant jeune homme, vint brusquement élargir leur petit cercle.

– Alys, je te présente Jim Madden, mon fiancé...

Nat était ce soir le charme personnifié, dans sa robe d'une blancheur immaculée qui moulait son corps long et mince et découvrait son cou à la peau laiteuse. Son fiancé, en costume sombre, semblait subjugué. S'arrachant à la contemplation de la jeune fille, il adressa un sourire amical à Alys.

– Enchanté de faire votre connaissance, dit-il en lui serrant la main. Nat ne tenait plus en place depuis qu'elle savait que vous deviez venir...

– Je suis très contente d'être ici et d'avoir l'occasion de vous rencontrer, répondit Alys.

Le regard franc et chaleureux de Jim lui plaisait. Il donnait l'impression de quelqu'un de très équilibré, qui viendrait heureusement contrebalancer l'impétuosité de Nat.

– Mais où est passé Noël? demanda Alys à Nat. Je ne l'ai pas vu de la soirée!

– Me voilà, mon trésor!

Alys se retrouva tout à coup dans les bras de Noël qui l'embrassa en plein sur la bouche devant tout le monde.

Gênée, elle s'écarta de lui en rougissant, et il la regarda d'un air moqueur. Nat avait raison de dire qu'il était beaucoup trop séduisant. Ses cheveux étaient magnifiques, épais, souples, et une boucle s'obstinait à lui barrer le front. Ses yeux gris pétillaient de malice et son sourire, impertinent et hardi, était irrésistible.

– Mais tu es devenue une vraie beauté! Dis... tu veux bien m'épouser? On pourrait fêter ce soir de doubles fiançailles!

– Tu te retrouverais dans de beaux draps si j'acceptais devant tous ces témoins, répliqua Alys, ironique.

Tout le monde se mit à rire et Noël fit mine d'être triste et désolé.

– L'ennui avec toi, Alys, c'est que tu ne m'as jamais pris au sérieux.

– Et l'ennui avec toi, répliqua-t-elle, c'est que tu n'as jamais su être sérieux!

– Cela signifie-t-il que tu ne me croirais pas si je te disais que je me consume d'amour pour toi depuis des années?

– N'oublie pas que j'ai grandi avec toi dans cette maison, lui fit-elle remarquer. Et que je te connais assez bien...

Il poussa un soupir à fendre l'âme.

– Autrement dit, elle ne me croit pas!

– Comment le pourrait-elle? s'écria Nat. Depuis son arrivée, tu fais une cour éhontée à Leila, l'infirmière de maman!

Ce badinage prit fin, la conversation devint générale, mais Noël ne lâcha pas les épaules d'Alys. Oncle Stuart était en train de lui dire quelque chose, mais elle ne l'écoutait plus...

Un petit groupe d'invités s'étant dispersé, le canapé et la cheminée se trouvaient bien en vue. Et un homme était là, debout, parlant avec tante Fran. Un frisson la parcourut tout entière. Elle reconnaissait cette silhouette élancée, cette attitude, cette carrure...

L'homme fit brusquement volte-face et regarda dans sa direction, comme s'il avait senti son regard. Tandis qu'elle restait pétrifiée sous l'effet du choc, il adressa encore quelques mots à tante Fran et, se frayant un chemin dans la foule des invités, il se dirigea droit sur elle.

2

Après Alys, Nat fut la première de leur petit groupe à remarquer Rand.

– Rand! s'écria-t-elle tout excitée en se précipitant vers lui pour l'embrasser avec fougue. Tu es venu! Pourquoi ne nous as-tu pas prévenus?

– Je n'étais pas sûr d'avoir terminé mon travail à temps, répondit-il tandis que Nat le prenait par la main et l'entraînait d'autorité.

Le reste se perdit dans un brouillard. Immobile, le cœur battant, prise de panique, Alys jetait des regards affolés autour d'elle. Elle aurait donné n'importe quoi pour être ailleurs.

Oncle Stuart serra la main de son neveu et lui tapota paternellement l'épaule.

– Quelle belle journée! Je suis ravi que tu aies pu te libérer pour les fiançailles de Nat, fiston. Quand es-tu arrivé?

– Il y a une heure environ. Mais comme tout le monde était en train de se préparer, j'ai demandé à Louisa de ne rien dire.

Rand alla dire bonjour au père Alonzo et à Noël, et on le présenta à Jim Madden. Il n'avait pas encore posé les yeux sur Alys, mais elle savait que cela ne tarderait pas...

– Rand, tu te souviens d'Alys Barclift? demanda Nat qui n'avait rien remarqué de son émotion. Alys, voici Rand Sheffield, l'homme de ta vie! ajouta-t-elle en riant. Alys n'avait que huit ans quand tu es venu habiter chez nous, Rand, mais elle s'était prise de passion pour toi... N'est-ce pas, Alys? Est-ce qu'il n'est pas plus séduisant que jamais? Qu'en penses-tu?

Alys l'aurait volontiers étranglée. Elle rougit mais dès qu'elle rencontra les yeux sombres et froids de Rand, le sang reflua de son visage et elle devint très pâle.

– Je suis certain que Mlle Barclift n'en pense plus rien du tout, déclara-t-il, glacial.

Alys aurait voulu rentrer sous terre. C'était bien pire que tout ce qu'elle avait imaginé. Nat était un peu déconcertée, mais Dieu merci, elle réserva ses commentaires jusqu'à ce qu'elles soient un peu isolées.

– Je ne comprends pas ce qui a pris à Rand, tout à l'heure, s'indigna-t-elle. Il a été à la limite de la correction avec toi. Ça ne lui ressemble pourtant pas... D'autant que j'ai toujours eu l'impression que tu étais sa préférée...

– Ne te fais pas de souci pour ça, Nat! fit Alys d'un ton un peu las. C'est sans importance. Tout le monde change. De toute évidence je ne lui plais plus!...

Elle haussa les épaules, feignant d'en rire pour mieux dissimuler sa souffrance qui était presque physique. Sa soirée était complètement gâchée, mais elle fit de son mieux pour faire bonne figure et paraître gaie, bien que totalement absente.

En dépit de la résolution qu'elle avait prise d'ignorer sa présence, elle ne pouvait s'empêcher de chercher Rand des yeux.

Si Noël était séduisant, Rand, âgé de trente-deux ans, avait un charme plus mâle. Ses cheveux blonds, dont les reflets cendrés évoquaient le sable d'une plage caressée par un rayon de lune, contrastaient avec le noir profond de ses yeux. Très grand, les épaules larges et les jambes musclées, il était d'une virilité indiscutable et irrésistible. Ce soir, dans son costume foncé qui faisait ressortir ses cheveux clairs et son hâle doré, il était particulièrement séduisant.

Alys n'était pas la seule à le remarquer, et il exerçait son magnétisme sur toutes les femmes présentes. A l'exception d'une seule : elle-même.

Devant ses attentions charmantes, tante Fran avait délicatement rosi. Et Leila Montgomery, la jolie infirmière, si sensible à la sollicitude de Noël, sourit de plaisir en voyant Rand s'asseoir à côté d'elle. Alys tourna vivement la tête, incapable de supporter la vue de ce beau visage penché vers celui de Leila comme s'il craignait de perdre une seule de ses paroles. Les yeux embués de larmes, elle se dirigea vers le patio.

— N'y va pas, il gèle à pierre fendre !

C'était Noël, qui venait d'apparaître comme par enchantement. Il l'empêcha de battre en retraite en la retenant par le bras.

— Qu'est-ce qui ne va pas, Alys ? Tu ne te sens pas bien ?

— Si, si, je t'assure, balbutia-t-elle. C'est la chaleur, sans doute...

— Ce n'est pas une raison pour sortir par un froid pareil ! Tu ferais mieux d'aller te reposer au frais, dans le bureau de papa.

Elle secoua la tête.

— Merci. Je me sens déjà mieux. Quelque chose à boire me ferait du bien...

— De quoi as-tu envie ?

— D'un jus de pamplemousse.

— Un jus de pamplemousse ? Mais tu n'as plus treize ans, Alys ! Je te conseille un breuvage plus corsé...

– Noël... je t'assure que j'aime autant ça.

– Quelle vertu! s'exclama-t-il d'un air à la fois soupçonneux et intrigué. Je n'aurais jamais cru cela de toi!

Alys rit de bon cœur.

– Si cela ne tenait qu'à toi, je ne resterais pas longtemps dans le droit chemin! Je ne suis pas aussi vieux jeu que tu crois, idiot! Si je ne bois pas d'alcool, c'est tout simplement que ça ne me réussit pas. Je prendrai un peu de champagne plus tard quand on portera un toast à Nat et Jim.

– Comme tu voudras, du moment que tu ne deviens pas tout à fait pudibonde! Je ne le supporterais pas, tu sais! Mais c'est impossible, quand on vit comme toi en plein centre de New York, non?

Noël la quitta et elle s'aperçut que Rand l'observait, les soucils froncés. Il lui en voulait d'être là, chez son oncle et sa tante, c'est-à-dire chez lui, et elle pouvait difficilement l'en blâmer. Elle aurait bien préféré être ailleurs, elle aussi.

Noël revint avec le jus de pamplemousse, et elle lui fut reconnaissante de s'interposer entre elle et le regard chargé de reproches de Rand.

Le cocktail fut suivi d'un buffet froid. Bien qu'elle n'eût rien mangé depuis le matin, Alys n'avait pas faim du tout. Poulet, saumon, salades diverses, fruits rafraîchis, fromages, *tamales* et *enchiladas*, *sopapillas* au miel... rien ne la tentait.

Elle ne fit que grignoter, pour ne pas avoir l'air de bouder la fête.

A voir les sourires que Noël adressait à Leila, on comprenait qu'il lui faisait une cour empressée. Bien qu'elle le considérât comme un frère, Alys ne pouvait s'empêcher de lui en vouloir un peu de l'avoir abandonnée. Il fallait bien reconnaître que Leila était charmante, si frêle et délicate que l'on se demandait comment elle faisait pour soulever les grands malades dont elle s'occupait le plus souvent. Elle avait de toute évidence un grand succès auprès des hommes. D'abord Rand, et maintenant Noël...

Alys finit par engager la conversation avec une aimable femme entre deux âges, assise à côté d'elle. A la fin du repas, oncle Stuart alla se planter devant la cheminée et s'éclaircit la gorge avant de faire signe qu'il allait parler. La chaleur et l'alcool réunis lui avaient donné des couleurs. Il paraissait un peu gêné de prendre la parole en public, mais en peu de mots et sans détours, il annonça les fiançailles de sa fille et l'on distribua des coupes pour le toast traditionnel au champagne. C'est alors qu'Alys s'aperçut que Rand l'observait de nouveau. Fascinée par le magnétisme de son regard, elle ne put détourner les yeux. Son cœur se mit à battre follement, ses lèvres s'entrouvrirent : ils étaient seuls au monde, et rien ne comptait plus qu'eux deux face à face.

Puis le visage de Rand se durcit et devint ironique. D'un geste moqueur, il leva sa coupe et la vida d'un seul trait en lui faisant un petit signe de tête.

Alys se détourna avec humeur. Comme elle était idiote d'avoir cru un seul instant que Rand avait retrouvé sa douceur et sa gentillesse! Et d'ailleurs, pourquoi attendrait-elle quoi que ce soit de lui?

Elle reposa son verre presque plein sur une table, jeta un coup d'œil à sa montre, et décida d'en rester là. Elle alla retrouver tante Fran et lui dit affectueusement :

– La journée a été longue, et je me sens un peu fatiguée. Tu ne m'en voudras pas si je monte me coucher tout de suite?

Celle-ci lui fit un sourire plein de tendresse et lui tendit la main droite, la seule qu'elle pouvait bouger.

– Bien sûr que non, ma chérie. Tu dois être épuisée. D'ailleurs, mon dragon d'infirmière ne va pas tarder à me mettre au lit. La soirée va certainement se prolonger tard dans la nuit.

– Voulez-vous que j'appelle Noël pour vous aider à regagner votre chambre, madame Taylor? demanda Leila.

– Il le faut bien, soupira tante Fran. Moi aussi je commence à être fatiguée... J'ai tenu le coup beaucoup mieux que je n'osais l'espérer, ce soir.

– Vous avez besoin de moi? demanda Alys à l'infirmière.

Leila secoua la tête et rejeta ses cheveux en arrière. Avec sa longue robe de mousseline de soie bleu ciel, elle n'avait rien de l'infirmière traditionnelle. Alys avait appris par Nat qu'elle venait de Denver, dans le Colorado, et qu'elle avait perdu son père un mois avant d'arriver à Santa Fe. Ses magnifiques yeux étaient un peu tristes, ce qui lui donnait l'air vulnérable. Mais son chagrin ne semblait en rien affecter son travail. Elle se montrait vive et efficace, comme une excellente infirmière.

– Non, merci, mademoiselle Barclift. Je vais préparer le lit de Mme Taylor et ses médicaments, pendant que Noël l'accompagnera dans sa chambre.

Tandis que l'infirmière s'éloignait, tante Fran glissa à Alys :

– Quand tout sera rentré dans l'ordre, il faudra que nous parlions longuement, toi et moi, ma chérie. J'ai l'impression de ne pas t'avoir vue du tout... ni Rand, d'ailleurs, depuis que vous êtes là.

Alys sourit, l'embrassa et se dépêcha de monter, soulagée de se retrouver enfin seule, loin de la présence troublante de Rand. Elle ne serait jamais venue si elle avait su qu'elle devait le rencontrer. Le choc qu'elle avait ressenti n'avait pas fini de propager en elle des ondes douloureuses.

Elle ôta sa robe rouge, passa une chemise de nuit blanche et s'installa dans un des grands fauteuils, le menton appuyé sur ses genoux, fixant le mur sans le voir, perdue dans ses souvenirs.

Nat avait dit vrai en affirmant qu'elle avait aimé Rand dès l'enfance. Elle avait huit ans et lui seize lorsqu'il avait perdu ses parents dans un accident d'avion, un an après la mort de sa mère à elle. Il était venu habiter chez Stuart, son oncle maternel, et une fois encore, tante Fran avait ouvert son cœur généreux à l'enfant d'une autre. Malgré son jeune âge, Alys avait trouvé dans sa relation avec Rand une source d'apaisement à ses propres malheurs. Révoltée par le chagrin qu'elle lisait dans ses yeux, elle avait attiré son attention sans le vouloir, en essayant simplement de lui rendre la vie agréable dans sa nouvelle maison. Elle s'était mise en quatre pour lui qui ne demandait rien. Touché par ses efforts, il s'était montré gentil avec elle mais sans condescendance, en dépit de leur différence d'âge : elle était encore une enfant et lui, déjà presque un homme. Cette gentillesse avait fait naître en elle un amour candide, une sorte d'adoration qui avait grandi encore au fil des années.

A dix-huit ans, Rand était parti pour l'université et, à partir de cette époque, elle ne l'avait vu que pendant les vacances. Puis elle-même était allée faire ses études secondaires dans un pensionnat au nord de New York et elle n'avait plus eu de ses nouvelles que par Nat, qui faisait quelquefois allusion à lui dans ses lettres.

Trois ans avant cette soirée de fiançailles, alors qu'elle était installée et qu'elle travaillait à New York, elle l'avait rencontré par hasard. Ou plus exactement, elle s'était heurtée à lui. Elle faisait du jogging dans Central Park un samedi matin de bonne heure quand, tournant la tête pour regarder des enfants qui jouaient, elle était allée donner de plein fouet contre une masse de muscles. Stupéfaite, elle avait reconnu un visage cher et familier, seulement vieilli de quelques années.

A croire que le destin avait attendu qu'elle soit femme pour remettre Rand sur sa route. Elle l'aimait toujours, mais d'un amour d'adulte encore plus profond et, ô miracle! Rand avait payé cet amour de retour. Ainsi avaient débuté pour Alys quatre mois enchanteurs qui avaient fini par tourner en cauchemar.

Les nerfs à vif, elle se leva d'un bond et alla à la fenêtre. Il faisait nuit noire mais elle resta là, le front contre la vitre froide et zébrée de givre.

On frappa à sa porte. Sans bouger de place, Alys dressa la tête. Ce devait être Nat, prête à discuter de la soirée jusqu'au petit matin, comme autrefois. Alys cria d'entrer, trouvant curieux que la réception, qui battait son plein lorsqu'elle s'était éclipsée, se soit arrêtée aussi rapidement...

Elle entendit la porte s'ouvrir, se refermer, puis un étrange silence suivit. Contrairement à son habitude, Nat ne s'était pas lancée sur-le-champ dans un étourdissant monologue. Alys pivota sur ses talons et resta figée sur place : Rand était dans la chambre, debout à côté de la porte.

A cause de sa grande taille, la pièce parut tout à coup toute petite. Il portait toujours son costume foncé, mais sa veste était entrouverte sur une chemise d'une blancheur immaculée, sans cravate et avec le col déboutonné; il était légèrement décoiffé, comme s'il s'était passé les mains dans les cheveux dans un mouvement d'impatience. Il semblait fou de rage et serrait les poings convulsivement.

Il la contempla un long moment en silence, l'examinant de la tête aux pieds, s'arrêtant à chaque détail de la chemise de nuit blanche qui lui recouvrait les chevilles : le décolleté profond, les garnitures de dentelles, les fronces qui soulignaient les courbes pleines de sa poitrine. Puis il eut une expression de mépris absolu.

– Quel air virginal... mademoiselle Barclift! ricana-t-il. Pour le plus grand plaisir de Noël, je suppose?

Alys cilla sous la dureté d'acier de son regard et la cruauté de ses paroles. Elle s'avança d'un pas mais n'alla pas plus loin.

– Que... que fais-tu ici? balbutia-t-elle.

L'idée ne lui était pas venue qu'il partirait à sa recherche.

– Ce serait plutôt à moi de te demander ce que tu fais dans ma maison? Tu aurais pu me prévenir : cela m'aurait évité le voyage. A moins que, sachant que je venais, tu n'aies voulu reprendre les choses là où nous les avons laissées? Si Noël n'y voit pas d'inconvénient, bien entendu...

– Bien sûr que non, voyons! se récria Alys. Si j'avais su que tu serais là, je ne serais jamais venue! De toute façon, comment aurais-je pu te prévenir? Je n'ai même pas ton adresse.

– On peut me joindre facilement par mon bureau, précisa-t-il sèchement. Ou par mon avocat qui, entre parenthèses, m'a fait savoir que ma femme n'a pas touché la somme que j'avais déposée à son intention.

– Qu'est-ce qui a bien pu te faire croire que j'accepterais jamais un sou de toi? demanda-t-elle en s'échauffant.

Rand haussa les épaules.

– J'ai appris à mes dépens que tu aimais ton indépendance. Mais tu aurais pu avoir besoin de cet argent... ou envie de le dépenser pour quelque chose de précis... un divorce, par exemple?

La question resta en suspens, menaçante comme une épée prête à frapper. Livide, Alys frissonna. Elle porta les mains à ses épaules, tant pour se protéger du froid que de son regard. Elle prit une profonde inspiration.

– Si tu veux divorcer, pourquoi n'as-tu pas entamé la procédure toi-même? Tu sais très bien que je ne m'y serais pas opposée.

– C'est généralement le privilège de la femme, rétorqua-t-il d'un ton cinglant. J'attendais toujours de recevoir un coup de fil de mon avocat m'annonçant ta décision...

Elle ne répondit pas. Après tout, elle comprenait mal ce qui l'avait retenue de le faire...

Au bout d'un moment, il ajouta d'une voix cassante :

– J'ignorais que tu avais repris ton nom de jeune fille.

– Quelle différence cela fait-il pour toi? dit-elle avec rage. Deux signatures au bas d'un contrat ne suffisent pas à faire un mariage!

– Entièrement d'accord, répondit-il tranquillement. Et trois petits mois de vie commune ne suffisent pas à nous faire décerner le prix du mariage le plus long! Je vois que tu ne t'es toujours pas décidée à en parler à tante Fran et oncle Stuart...

– L'occasion ne s'est pas présentée. L'annoncer par téléphone ou par lettre m'a paru trop... cavalier. Et il y a deux ans, quand papa est mort, le moment était mal choisi pour une explication de ce genre.

Le regard de Rand s'adoucit soudain.

– Sa disparition m'a fait de la peine, Alys. Si j'avais été au courant, je serais venu en dépit de tout. J'aimais beaucoup ton père et je sais à quel point il doit te manquer.

– Merci, dit-elle d'une voix altérée par l'émotion.

Cette douceur inattendue lui avait fait venir les larmes aux yeux. Elle s'éclaircit la gorge.

– Est-ce que... tu vas leur parler de nous? De notre mariage?

Il la fixa d'un œil moqueur.

– Quel mariage? Deux signatures au bas d'un contrat ne suffisent pas pour faire un mariage, n'est-ce pas? persifla-t-il. C'est bien ce que tu as dit? De toute façon, je ne suis pas homme à trahir les secrets d'une femme. Mais sache-le bien, ajouta-t-il d'un ton vengeur, tant que la chose restera secrète, il n'y a pas mariage, et s'il n'y a pas mariage, rien ne me lie à toi.

Il sortit et referma vivement la porte derrière lui.

Dans un accès de colère, Alys s'empara d'une de ses chaussures et s'apprêtait à la lancer contre la porte quand la raison reprit le dessus : avait-on déjà vu des invités démolir les portes à coups de chaussure?...

Laissant retomber son bras, abattue, désespérée, elle enfouit son visage dans ses mains et se mit à pleurer.

3

Son lit était un vrai champ de bataille. Les draps étaient froissés, entortillés, et l'édredon pendait sur le côté.

Alys renonça à essayer de dormir et alluma sa lampe de chevet : 4 h 10 ! Elle n'avait pas fermé l'œil de la nuit... Elle se leva pour arranger un peu son lit, puis se recoucha, éteignit et resta étendue, les yeux grands ouverts dans le noir. Que faire ?

Elle se posait anxieusement la question, cherchant désespérément une réponse. Partir ? Elle pouvait retrouver New York en quelques heures, et la scène de la veille ne serait plus qu'un mauvais rêve...

Mais elle avait annoncé à tout le monde qu'elle passerait quinze jours à Santa Fe. On lui demanderait des explications. Que dirait-elle ? Alléguer un surcroît de travail subit était hors de question puisqu'elle était en vacances. Les autres prétextes qui lui vinrent à l'esprit lui semblèrent cousus de fil blanc, par conséquent vexants. La seule chose qu'elle ne pouvait – et ne voulait – pas faire, c'était leur dire la vérité...

Rand devait occuper son ancienne chambre, de l'autre côté du couloir, à quelques mètres d'elle. Avait-il réussi à dormir ? Après tout, lui aussi avait dû avoir un choc en la voyant...

Il avait beaucoup vieilli depuis trois ans. Certes, il

était toujours aussi séduisant, mais il avait perdu cette allure adolescente qu'il avait encore lorsqu'ils s'étaient quittés. Il avait maintenant des rides au coin des yeux et sur le front. Elle l'avait remarqué. Les devait-il à ses soucis professionnels ou en était-elle responsable? Elle... ou plutôt leur ridicule simulacre de mariage?...

Leur rencontre fortuite dans Central Park avait été décisive. Leur désir légitime de se retrouver et d'échanger des nouvelles s'était presque immédiatement transformé en idylle. Pour la première fois, Rand avait vu la femme en elle. Quant à Alys, son amour pour lui s'était réveillé avec une violence imprévisible et inouïe. Et un mois plus tard, ils étaient mariés.

C'était Alys qui avait insisté pour garder le secret sur cet événement. Rand n'avait pas aimé cette idée mais il avait respecté le désir de son épouse de réserver la surprise aux deux familles pour le moment où ils iraient les voir, en été. Elle s'était réjouie à l'avance de leur étonnement joyeux, sûre qu'ils seraient extrêmement heureux de ce mariage. Surtout son père qui avait toujours apprécié le bon sens et l'équilibre de Rand.

Celui-ci avait fini par sourire du goût puéril d'Alys pour le mystère. Il était vrai qu'à l'époque il n'était que trop disposé à lui accorder tout ce qu'elle voulait.

Rand dirigeait un cabinet d'ingénieurs-conseils qui travaillait avec les grandes compagnies pétrolières. Il n'avait pas caché à Alys qu'il lui faudrait bientôt quitter New York pour aller sur un chantier à l'étranger. Mais elle nageait trop dans le bonheur pour imaginer tout ce que cela impliquait. Jusqu'à un certain soir... où elle avait été brutalement ramenée à la réalité quand Rand lui avait annoncé son départ pour l'Arabie Saoudite où il devait rester au moins trois ans.

Alys avait résisté. Pouvait-elle abandonner l'agence de publicité qu'elle avait créée avec son ami Cal Borden? Non. Elle ne pouvait quitter New York et les Etats-Unis pendant trois ans. Son travail comptait trop pour elle. D'autant qu'à l'agence, ses dons artistiques hérités de son père pouvaient s'exprimer puisqu'elle était chargée de la conception des annonces publicitaires pour la presse, la radio et la télévision... Cal, en tant que directeur du service commercial, s'occupait de la distribution et de la promotion. C'était un travail excitant auquel elle ne voulait pas renoncer, surtout au moment où leurs efforts commençaient à porter leurs fruits.

Rand avait été tout aussi intransigeant qu'elle. La proposition faite par l'Arabie Saoudite était l'aboutissement d'années de préparation et il ne voulait ni laisser passer l'occasion ni envoyer un ingénieur moins qualifié pour le remplacer.

Voilà comment, après trois mois de bonheur, leur mariage s'était brisé. Rand était bien allé au Nouveau-Mexique cet été-là... mais sans elle. Avant de s'expatrier, il avait passé quinze jours chez son oncle et sa tante sans souffler mot de leur mariage, décidé à laisser Alys en parler quand elle le jugerait opportun. Trois ans avaient passé et le moment n'était jamais venu. Et leur annoncer aujourd'hui quelque chose qui n'existait plus, n'avait aucun sens...

A 7 heures du matin, renonçant à essayer de trouver le sommeil, elle enfila un jean et un gros pull-over noir. La chaîne qu'elle portait autour du cou passa par-dessus son col et un rayon de lumière tomba sur le bijou qui y était accroché. Alys le prit dans sa main et se mordit la lèvre : c'était son alliance, un anneau d'or orné d'un magnifique solitaire. Elle ne savait trop pourquoi elle ne s'était jamais décidée à le ranger définitivement dans un coffret. Elle remit très vite la chaîne d'or sous son pull afin que son alliance soit à l'abri des regards indiscrets.

Elle avait l'air fatigué et les yeux cernés après cette nuit blanche. Elle colora ses lèvres d'une touche de rouge qui donna à son visage un éclat particulier et une expression énergique. Elle brossa rapidement ses boucles noires, éteignit la lumière et quitta la chambre.

Tous les hommes de la maison étaient attablés devant le petit déjeuner.

– Bonjour, ma chérie, lui dit oncle Stuart. Tu as bien dormi?

– Très bien...

– Louisa vient de faire le café, intervint Noël. Il est sur le buffet.

– Et mange un peu, ajouta oncle Stuart. J'étais sûr que tu ferais la grasse matinée, comme Nat! Sinon, nous t'aurions attendue.

– Si Nat n'a pas perdu ses bonnes habitudes, elle devrait ouvrir l'œil aux environs de midi? dit Alys en souriant malicieusement.

– Oh! Elle a gardé toutes ses habitudes, les bonnes et... les autres! plaisanta oncle Stuart.

– Tante Fran dort encore, elle aussi? demanda Alys en revenant avec une tasse de café fumant à la main.

Par un malencontreux hasard, Alys n'avait le choix qu'entre deux places : l'une en face de Rand et l'autre à côté de lui... alors qu'il l'avait superbement ignorée depuis qu'elle était entrée dans la pièce.

– Elle va sûrement se lever tard, répondit oncle Stuart. Je vais toujours lui dire bonjour avant de partir pour la galerie, mais je l'ai prévenue que ce matin je ne le ferais pas. Elle a eu une soirée très fatigante, et je ne veux pas la réveiller.

Alys s'assit en face de Rand qui fixait obstinément sa tasse de café. Et elle préférait ça, car après la scène de la veille, elle ne se sentait pas la force d'affronter son regard.

Leila fit une apparition remarquée, dans un fuseau bleu et un chandail jaune qui lui allaient à ravir. Apparemment, les Taylor ne l'obligeaient pas à porter l'uniforme de sa profession.

– Bonjour tout le monde! lança-t-elle joyeusement à la cantonade.

– Bonjour, dit Rand en lui rendant son sourire. Asseyez-vous, ajouta-t-il en se levant, je vais vous chercher du café. Voulez-vous des saucisses? Des œufs? Un petit pain tout chaud, à la cannelle?

– Merci, répondit Leila qui semblait assez étonnée. Une saucisse et un œuf, s'il vous plaît. Et du café, bien sûr.

Alys manqua s'étrangler en avalant le sien. «Oh, et puis quelle importance!» se dit-elle. De toute façon, il continuait à l'ignorer exactement comme si elle était l'un des meubles espagnols de la cuisine... Mais lorsqu'elle croisa son regard, par hasard, elle y vit une lueur cruellement moqueuse qui semblait signifier: «Qu'est-ce qui me lie à toi?... Rien!»

– Alys!

Elle sursauta.

– Excuse-moi, oncle Stuart. Tu me parlais?

– Je te demandais si tu voulais venir avec Noël et moi à la galerie tout à l'heure?

– Oh, oui! s'écria-t-elle. Il y a des années que je n'y ai pas mis les pieds. Navajo Joe est toujours fidèle au poste?

Elle sourit, sans se rendre compte à quel point elle était jolie et séduisante, du moins aux yeux de deux des hommes présents.

– Toujours, oui. Il va être ravi de te revoir. Et toi, Rand, reprit oncle Stuart, tu viens avec nous?

– Volontiers, répondit-il aussitôt.

La joie d'Alys tomba d'un seul coup. Sa présence allait créer un malaise qui lui gâcherait son plaisir. Mais il était trop tard pour se dérober. Et puis elle ne voulait pas se laisser impressionner par Rand, qui allait sans doute tout faire pour lui rendre la vie impossible afin qu'elle reparte au plus vite pour New York...

A Santa Fe, presque toutes les constructions, des plus belles aux plus modestes, sont en briques de boue séchée ou de pisé. La galerie des Taylor, tout comme leur maison, n'échappait pas à cette coutume. Située à quelques rues de la grand-place, c'était une longue bâtisse rectangulaire, partiellement surélevée d'un étage, avec un toit en terrasse. Au beau milieu de la façade, une porte espagnole en bois massif sculpté était flanquée de deux vitrines.

On pouvait y admirer des œuvres d'artistes de la Côte Ouest, comme le père d'Alys, ainsi que des toiles de peintres espagnols et toutes sortes d'objets d'art créés par des Indiens. Alys fut ravie de retrouver la galerie, les tableaux et Navajo Joe, un Indien grisonnant dont les yeux de jais et les hautes pommettes saillantes trahissaient la pureté des origines.

Navajo Joe était particulièrement doué pour l'orfèvrerie et le travail du bois. Il n'avait pas son pareil pour ciseler l'argent, faire des parures en turquoise et sculpter le bois. Encore fallait-il qu'il se sente d'humeur à travailler, ce qui arrivait assez rarement. S'il faisait partie de la galerie, il le devait surtout à son physique et aux histoires vraies qu'il racontait.

Contrairement au portrait stéréotypé de l'Indien taciturne et impénétrable, Navajo Joe était un conteur-né. Rien ne lui plaisait tant que de voir les touristes écouter, bouche bée, l'histoire de son peuple bien-aimé et de ses terres. Ses récits étaient si passionnants que les gens se bousculaient pour l'entendre. Bien sûr, ils en profitaient pour faire un tour dans la galerie et se laissaient souvent tenter par une toile, un objet rare ou même un souvenir. Car au rez-de-chaussée, on pouvait acheter de jolis objets fabriqués en série et sans grande valeur. Les véritables trésors se trouvaient dans les étages, là où Alys retrouva Navajo Joe.

– Alys! s'écria-t-il en lui donnant une chaleureuse poignée de main. Il y a des mois et des mois que tu n'as pas monté ces marches! Comment ça va?

– Bien, Joe. Et toi?

– Je vieillis chaque jour un peu plus, répondit-il d'un ton sentencieux. J'irai bientôt prendre la place qui m'est réservée là-haut, dans la Grande Galerie...

– Dis-moi, Navajo, demanda Alys, tu crois vraiment que Dieu a ouvert une galerie d'art au Paradis? Mais il n'y a pas de touristes au Ciel!

Joe rejeta la tête en arrière et partit d'un grand éclat de rire.

– Tu as toujours su réagir à ce que j'invente, Alys! Ça ne m'étonne pas que tu écrives des textes publicitaires. Il paraît même que tu en vis? C'est vraiment quelqu'un, notre Alys, n'est-ce pas, Rand?

Alys se retourna. Elle ne s'était pas aperçue que Rand était derrière elle. Il hocha la tête sans la regarder.

– Oh, oui! dit-il, c'est quelqu'un...

Mais dans sa bouche à lui, ce n'était certainement pas un compliment... Ulcérée, elle s'éloigna et se mit à faire le tour de la pièce.

Les murs disparaissaient sous de merveilleux tableaux représentant des *mesas* au toit plat, des Indiens, des chevaux, les monts Sangre de Cristo ou des maisons de la vieille ville de Pueblo... en un mot tout ce qui faisait le charme spécifique du Sud-Ouest des Etats-Unis. Elle découvrit, bien en évidence, un tableau de son père. C'était un paysage de plaines verdoyantes sur un fond de montagnes. L'impression de désolation qui s'en dégageait était bien celle que donnaient les grands espaces du Nouveau-Mexique. Par son dépouillement même, cette œuvre avait quelque chose d'obsédant.

– C'est le seul tableau de ton père qui nous reste, dit Joe tranquillement. M. Taylor ne veut pas le vendre malgré les offres astronomiques qui lui ont été faites.

– Tant mieux, murmura-t-elle, les larmes aux yeux. Je suis heureuse qu'oncle Stuart ne veuille pas s'en séparer.

Elle détourna vivement la tête et se mit à examiner une jatte en terre cuite vernie, d'un noir lumineux, décorée de dessins stylisés d'un rouge vif, et fabriquée par les Indiens de San Ildefonso. Il y avait d'autres poteries originaires de Zia et de Taos, ainsi que des paniers tressés, des nattes, et des couvertures de toute beauté tissées par les Navajos.

Elle admira ensuite les bijoux exposés dans une vitrine, tous des chefs-d'œuvre uniques. Elle s'arrêta plus longuement sur un collier en argent en forme de rayons de soleil dont le centre était une turquoise magnifiquement polie.

– C'est toi qui as fait cette merveille? demanda-t-elle à Joe.

– Non. C'est Zuni. Attends... Je vais le sortir de la vitrine...

– Ce n'est pas la peine, dit-elle en secouant la tête, je n'aurais jamais les moyens de m'offrir un bijou pareil...

– Ton oncle te fera un prix...

– Il sera encore trop cher pour moi. Et puis, il est normal qu'une pièce aussi magnifique soit payée au prix fort. Merci quand même, Joe.

Incapable de supporter plus longtemps la présence silencieuse de Rand, elle redescendit et se mit à la recherche de Noël. Elle le trouva dans le bureau, au fond de la grande salle d'exposition.

– Tu as vu le tableau de ton père? lui demanda-t-il.

– Oui, répondit-elle en s'asseyant sur le coin de la table. Je suis tellement contente qu'oncle Stuart refuse de le vendre!

Noël la regarda avec une affectueuse compréhension et lui prit la main en souriant. Elle poursuivit :

– Puisqu'on parle des tableaux de papa, il avait peint un portrait de ma mère en miniature qu'il gardait dans sa chambre. Je me demande ce qu'il est devenu. Tu ne l'aurais pas vu quelque part, par hasard?

Noël secoua la tête.

– Ce portrait n'était pas parmi les tableaux que nous avons vendus... Je m'en souviendrais puisque nous avons tout répertorié.

– C'est bien ce que je craignais, soupira-t-elle. C'est la seule chose à laquelle je tenais vraiment, et impossible de le retrouver...

– Il y a quelques boîtes qui contiennent des études et des papiers personnels ayant appartenu à ton père. J'y jetterai encore un coup d'œil, mais tu sais, j'ai déjà tout trié. Que dirais-tu d'un café? dit-il

34

en lui prenant la main. J'ai besoin de souffler un peu...

Alys sourit et s'anima.

– Excellente idée!

Mais comme elle levait les yeux, elle hésita un moment. Rand, son torse moulé dans un pull blanc, était appuyé contre le chambranle de la porte et la considérait d'un air peu amical. Soudain gênée, elle rougit et retira précipitamment sa main à Noël.

Aussitôt, elle se sentit furieuse contre elle-même. Pourquoi réagissait-elle en coupable? Qu'avait-elle fait de répréhensible?

4

Alys rattrapa les deux mauvaises nuits qu'elle avait passées, en faisant la grasse matinée le dimanche matin. Il n'y avait personne à la salle à manger lorsqu'elle descendit. Elle but du café, mangea les toasts et les œufs laissés à son intention sur la plaque chauffante, puis alla frapper discrètement à la porte de la chambre de tante Fran.

– Entrez! dit gaiement celle-ci.

Alys découvrit sa tante installée, toute souriante, contre une montagne d'oreillers.

– Quelle joie de te voir, Alys! Je commençais à trouver le temps long, toute seule...

Alys eut le cœur serré en voyant ce beau visage déformé par la paralysie, une paupière mi-close. Mais elle rendit vaillamment son sourire à tante Fran et s'assit à son chevet.

– La maison est bien silencieuse, ce matin, observa Alys. Ils sont tous à la messe?

– Oui. Leila aussi. Mais je ne sais pas où est passé Rand.

– Je suis là! fit-il en entrant. Je fumais une cigarette dans le patio.

– Tu dois être transi! s'écria tante Fran. Oh! mais oui, en effet! ajouta-t-elle lorsque, l'ayant embrassée, il lui tendit sa joue glacée.

Alys détourna les yeux et contempla le splendide

crucifix en peuplier orné à son pied d'orants age-
nouillés, qui était accroché au-dessus du lit.

– Assieds-toi là, dit tante Fran, et racontez-moi un
peu ce que vous devenez l'un et l'autre.

Rand s'installa à côté d'elle, sur le lit, sans lui
lâcher la main.

– Que veux-tu savoir?

– Tout! Mais d'abord, je veux savoir si vous êtes
heureux ou non.

Rand jeta un coup d'œil à Alys et passa la main
dans ses cheveux.

– Heureux? répéta-t-il comme si ce mot lui était
étranger. Qui peut se vanter d'être parfaitement
heureux? Tu crois au bonheur, toi, tante Fran? Pour
moi... Je veux dire que je m'estime relativement
satisfait. Je fais un travail qui me plaît...

Brusquement soucieuse, sa tante se tourna vers
Alys.

– Et toi, ma chérie? Tu es heureuse?

Alys haussa légèrement les épaules, mais sa
nuque était raide et elle releva la tête un peu trop
brusquement.

– Je n'en sais rien, tante Fran. Moi non plus, je ne
suis pas sûre de croire au bonheur, du moins à un
bonheur durable. Mais dans l'ensemble, je suis
plutôt contente de la vie que je mène, oui...

– Contente! s'indigna tante Fran retrouvant un
peu de sa verve d'antan. A votre âge, qui se soucie
d'être content? Les jeunes sont censés mettre de la
passion en tout! S'ils ne sont pas heureux à en
perdre la raison, ils sont au désespoir, oui, mais pas
« contents »! Ce qui ne va pas chez vous, dit-elle en
secouant la tête, c'est que vous êtes seuls, l'un et
l'autre. Là où tu travailles, il n'y a pas une seule
jeune femme dont tu pourrais tomber amoureux,
Rand? Tu arrives à un âge où il faudrait que tu te
maries...

Il jeta à nouveau un regard rapide à Alys, un regard dur et plein d'amertume, mais il répondit avec calme :

— Il y en a quelques-unes, bien sûr, et même une qui m'intéresse particulièrement... Mais le mariage, non, ce n'est pas pour moi.

Ainsi, il y avait une femme dans sa vie! Alys sentit son estomac se nouer. Voilà pourquoi il lui avait dit que rien ne le liait à elle! Il ne voulait pas se sentir prisonnier d'une parodie de mariage. Mais pourquoi avait-il déclaré à tante Fran que le mariage ne l'intéressait pas? Etait-ce pour brouiller les pistes? Etait-il possible qu'il soit amoureux d'une autre femme qu'il ne souhaitait pas épouser? Alys l'aurait-elle dégoûté du mariage à tout jamais?...

— J'espère que tu ne vas pas devenir une de ces féministes qui sacrifient famille et mari à leur carrière? Tu n'as pas d'homme dans ta vie, Alys?

Le visage subitement empourpré, Alys sentit peser sur elle le regard perçant de Rand et elle garda les yeux obstinément fixés sur le tapis. Tante Fran avait vu si juste à son sujet qu'elle se demanda si elle n'avait pas deviné la vérité.

Elle releva la tête, mais si celle-ci la dévisageait avec curiosité, rien dans son expression ne pouvait laisser croire qu'elle en sût davantage.

— Mon travail est... enrichissant, murmura-t-elle.

— Tu n'as pas répondu à ma question, Alys! Y a-t-il un homme dans ta vie?

Alys regarda Rand bien en face. Il avait un regard grave, impérieux, et sa bouche s'était resserrée en un mince trait sous l'effet de la tension nerveuse.

— Oui, déclara-t-elle d'une voix claire. J'ai quelqu'un dans ma vie.

— Ah! s'exclama vivement tante Fran, et tu as l'intention de l'épouser?

Alys effleura l'alliance qui faisait une toute petite bosse sous son pull et se força à sourire.

– Pour l'instant, mes projets sont assez vagues. Mais si nous parlions plutôt de ceux de Nat?

Au grand soulagement d'Alys, sa manœuvre de diversion réussit et les minutes suivantes furent consacrées au sujet qui tenait le plus à cœur à tante Fran : le mariage de sa fille.

Alys leva les yeux une seule fois et rencontra aussitôt le regard noir de Rand. Etait-ce l'idée qu'elle aimait un homme qui lui déplaisait? Mais pourquoi, alors que lui-même avait une femme dans sa vie? Cette révélation avait frappé Alys de plein fouet et son cœur saignait encore. C'était par fierté qu'elle s'était inventé quelqu'un. La vérité était que depuis leur séparation, personne n'avait pu lui faire oublier Rand et ce qu'ils avaient été l'un pour l'autre, si court qu'ait été leur bonheur. Mais pour l'heure, son souci majeur était de faire tout son possible pour que Rand l'ignore.

Heureusement qu'à cet instant les autres rentrèrent de la messe, ce qui interrompit cette petite conversation intime qui mettait Alys si mal à l'aise.

Ils se mirent à table un peu avant 2 heures, afin de laisser le temps au père Alonzo de les rejoindre. Au cours du repas, on parla sports d'hiver et Noël raconta à Rand et Alys comment s'étaient passées les diverses compétitions qui avaient eu lieu dans la région.

– Comme j'aimerais skier! s'écria Alys, les yeux brillants. Il y a des années que je n'ai pas touché un ski!

– Organisons quelque chose, proposa Noël instantanément. Tu te débrouillais rudement bien, tout bout de chou que tu étais!

– Pourquoi ne pas aller passer un week-end au

chalet? suggéra Nat, tout excitée. Papa a fait construire un chalet au nord de Taos pour la chasse, expliqua-t-elle à Alys, à proximité des pistes. Elles ont la réputation d'être les plus belles de la région. En tout cas, il y a deux grandes chambres. Leila, toi et moi, nous pourrions en prendre une et laisser l'autre aux garçons? Ce serait formidable, non?

– Ça me convient tout à fait! dit Jim. Et toi, Rand, qu'en dis-tu?

– J'en suis! répondit-il en souriant. Je vais certainement prendre quelques bûches. Je suis comme Alys... il y a bien longtemps que je n'ai pas chaussé de skis!

– Tu pourras toujours descendre la piste verte pour débutants, suggéra Nat pour le taquiner. Il te fait marcher, Jim. Rand a gagné plusieurs coupes au collège. Et vous, Leila, vous aimez skier?

– J'adore ça! Je me demande seulement s'il est bien raisonnable de laisser Mme Taylor seule pendant tout un week-end.

– Mais oui, intervint oncle Stuart. Elle se remet doucement et vous n'avez pas pris de repos depuis votre arrivée. Nous sommes assez grands, Louisa et moi, pour nous occuper d'elle. Allez! Partez et prenez un peu de bon temps!

Après le repas, Nat partit en voiture avec Jim, et Noël entraîna Leila qui avait son après-midi libre. Le père Alonzo resta un moment à bavarder avec tante Fran tandis qu'oncle Stuart se retirait dans son bureau, en principe pour lire son journal, *the New Mexican*, mais Alys le soupçonnait de vouloir plutôt faire une petite sieste. Et elle se rendit compte avec une soudaine appréhension qu'elle se retrouvait seule avec Rand.

Elle s'apprêtait à s'éclipser en douce quand celui-ci, qui était accoudé à la cheminée et contemplait les braises, se retourna brusquement.

– Puisque nous sommes seuls, que dirais-tu d'une promenade en voiture?

A cette invitation surprenante, elle sentit son cœur battre plus vite. Quelle idée avait-il derrière la tête? Ce n'était sûrement pas parce qu'il désirait sa compagnie qu'il lui faisait cette proposition... Elle allait refuser mais se ravisa. A part les quelques minutes que Rand avait passées dans sa chambre la première nuit, ils ne s'étaient jamais trouvés seuls ensemble. Tôt ou tard, il faudrait bien en passer par là. Ils avaient des questions à régler? Autant le faire tout de suite, se dit-elle, fataliste. Elle hocha la tête.

– Je vais chercher mon manteau.

Peu après, ils franchissaient l'épais mur d'enceinte en pisé qui protégeait la maison des regards indiscrets. Ils roulèrent en silence sur l'étroite route de montagne qui descendait en lacets jusqu'à la route du canyon, le long de la rivière Santa Fe, bordée d'ateliers de peintres et de galeries, jusqu'au centre de la ville où Rand se gara dans une petite rue.

– Marchons, dit-il sèchement.

Il était d'une humeur étrange, ni fâché ni content. Simplement... bizarre.

Ils prirent la direction de la plaza. Le froid était vif, mais le soleil lumineux. Alys s'emplit les poumons de cet air grisant de pureté. C'était une journée splendide et les incomparables monts Sangre de Cristo se découpaient au loin sur le bleu du ciel, aveuglants dans leur manteau de neiges éternelles. Les rues de la ville étaient dégagées à l'exception de quelques ruelles sombres où la neige tenait encore.

Brusquement, Rand lui prit la main et la retint comme dans un étau. Elle eut l'impression de recevoir une décharge électrique, s'arrêta et leva les yeux. Il la regardait en souriant, la joue droite barrée d'un pli profond qu'elle avait presque oublié. Et ce n'était pourtant pas un de ses moindres charmes.

– Rand, commença-t-elle, le souffle court, je sais qu'il faut que nous parlions et je...

Il secoua la tête, à nouveau sérieux.

– Je sais. Mais pas aujourd'hui. Jouons plutôt les touristes qui découvrent leur propre pays, tu veux? Amusons-nous. Nous avons tout le temps de parler, non?

– Oh, oui! s'empressa-t-elle de répondre, soulagée de voir la pénible discussion qu'elle redoutait remise à plus tard.

– Bravo! s'écria-t-il avec un sourire très doux.

Alys en eut le souffle coupé, et l'air vif n'y était pour rien. De plus, si Rand continuait à la regarder ainsi, elle ne répondait plus d'elle-même...

Ils allèrent visiter le musée d'art néo-mexicain, puis descendirent en flânant jusqu'à la cathédrale Saint-François, construite en grès dans un style inspiré du roman. Dans la chapelle du Sacré-Cœur se trouvait la « Conquistadora », une statuette de la Vierge que le capitaine-général Don Diego de Vargas avait apportée ici en 1692, lors de la reconquête du Nouveau-Mexique qui avait mis fin à la grande insurrection de Pueblo. C'était en souvenir de cette victoire que, chaque année, l'on promenait la « Conquistadora » en une procession solennelle.

Tandis qu'ils déambulaient, main dans la main, à l'ombre des arbres séculaires, le long de l'ancienne piste de Santa Fe bordée d'épais murs en terre, Rand lui demanda :

– Dis-moi... que deviens-tu? Je veux dire... vraiment?

– Ça va. Je travaille beaucoup, mais ça me plaît.

– L'agence marche bien?

– Au-delà de tous mes espoirs! Cal n'a pas son pareil pour nous ramener des clients. Des firmes d'importance nationale nous ont passé des contrats très intéressants. Tu sais que nous avons trente employés, maintenant?

– Il est loin le temps où tu étais à toi toute seule le bureau d'études et où Cal était l'ensemble du service commercial, avec sa femme comme hôtesse d'accueil et le bébé dans son parc derrière la réception!

– Très loin, en effet, convint-elle en riant. Mary-Jane ne travaille plus à présent. Elle a eu deux autres enfants.

Ils se turent. Alys ne pouvait s'empêcher de penser que si Rand n'était pas parti pour l'étranger, elle serait peut-être mère, elle aussi...

– Tu les vois toujours aussi souvent? En dehors du travail, j'entends. Ou bien est-ce que Mary-Jane et toi vous n'avez plus rien en commun?

– A cause des enfants et parce qu'elle n'est plus à l'agence? Oh, non! Nous nous entendons toujours très bien! Nous dînons ensemble au moins une fois par semaine, chez eux ou chez moi. Et tu ne me croiras peut-être pas, mais je suis leur baby-sitter attitrée...

– Vraiment? J'avoue que j'ai du mal à t'imaginer dans ce rôle!

Alys détourna la tête, les larmes aux yeux. Pour rien au monde, elle n'aurait voulu qu'il s'aperçoive à quel point sa remarque l'avait blessée. Elle aurait pourtant dû s'y attendre... Comment aurait-il pu deviner que Cal et Mary-Jane lui tenaient lieu de famille maintenant et qu'elle se reposait de plus en plus sur leur fidèle amitié? Etre considérée comme une sorte de... membre honoraire de leur maisonnée, la consolait de sa terrible solitude.

Ils se trouvaient maintenant dans la chapelle

43

Notre-Dame-de-la-Lumière, qui se vantait de posséder un escalier miraculeux. La légende voulait que les religieuses aient multiplié les prières pour avoir un escalier menant à la tribune du chœur. Et un beau jour, un mystérieux charpentier s'était présenté qui, sans l'aide de clous, avait bâti un escalier sans point d'appui apparent et dans un bois que l'on n'avait jamais réussi à identifier... Son œuvre achevée, il avait disparu.

– Tu veux entrer? demanda Rand.

– Non, sauf si tu y tiens...

Enfant, elle y était souvent allée avec son père.

– J'aime autant marcher...

Ils poursuivirent leur chemin, cependant qu'Alys essayait de surmonter son désarroi après les paroles de Rand.

– Parle-moi de l'Arabie Saoudite et de ton travail là-bas, demanda-t-elle en s'efforçant de sourire.

Il ne se fit pas prier et elle l'écouta attentivement, avide de connaître ce qu'avait été son existence loin d'elle.

– Que vas-tu faire maintenant... enfin, quand tu auras quitté Santa Fe...?

Il posa sur elle un regard plus distant, lui lâcha la main pour prendre un paquet de cigarettes dans sa poche et en allumer une.

– J'y retourne pour trois ans... répondit-il d'un ton ferme où il n'y avait ni hésitation ni demande.

Alys ne comptait plus pour lui. Leur mariage était oublié. Elle sentit tout à coup le froid la pénétrer en cette fin de journée, et elle remonta son col tandis qu'ils poursuivaient leur chemin.

Ils passèrent devant la mission San Miguel, l'une des plus anciennes églises des Etats-Unis, construite par les esclaves indiens appartenant aux autorités espagnoles, vers 1630, et souvent restaurée depuis.

– Tu veux boire quelque chose? proposa Rand,

brisant le silence gênant qui s'était installé entre eux.

– Bonne idée! dit-elle.

Ils revinrent vers la route du canyon et flânèrent dans le dédale des galeries de peinture et des boutiques de cadeaux, s'arrêtant ici et là pour regarder les vitrines.

Ils entrèrent finalement dans un petit café où ils furent agréablement saisis par la chaleur. Dès qu'ils furent installés près d'une fenêtre, Rand commanda deux chocolats chauds.

– Je suppose que tu aimes toujours autant le chocolat chaud?

– Oh, oui! dit-elle en riant.

– Ainsi que la cuisine chinoise et les plats juifs?

Alys acquiesça et il ajouta :

– Nous avons quand même eu de bons moments, non?

Ils redevinrent sérieux, de nouveau plongés dans leurs souvenirs. Ils étaient souvent partis à la recherche d'un restaurant en pleine nuit, affamés, à minuit ou même 2 heures du matin, faisant l'amour en rentrant avant de sombrer dans le sommeil. Leur vie commune avait été une succession de merveilleuses folies, tant qu'elle avait duré...

Alys leva la tête et rencontra le regard grave de Rand.

– Il vaudrait peut-être mieux ne pas remuer le couteau dans la plaie, dit-il d'un air sombre.

– Ce n'est pas moi qui ai commencé...

– Je sais, répondit-il avec un soupir. C'est moi. Mais je ne peux pas m'empêcher d'évoquer le passé.

– Bien sûr, admit-elle, les lèvres tremblantes. Je me rends bien compte de ce que la situation a d'embarrassant. Seulement, je ne m'attendais pas à te trouver là. Je ferais peut-être mieux de m'en aller sous un prétexte quelconque?...

– Comment! Pour bouleverser tante Fran? fit-il en secouant la tête. La situation est peut-être embarrassante, mais seulement pour nous. Ce n'est pas une raison pour vexer inutilement Nat et ses parents. Nous n'avons qu'à faire bonne figure devant eux.

La serveuse arriva avec les chocolats. Alys se mit à remuer le sien en silence.

– Rand, si nous mettions les choses au point? dit-elle enfin.

Elle pensait en particulier à cette femme à laquelle il avait fait allusion, mais il l'interrompit.

– Aujourd'hui, on oublie tout, les problèmes et les souvenirs... Juste pour une journée.

– D'accord, fit-elle à contrecœur.

Par la suite, elle fit de son mieux pour secouer la mélancolie qui l'avait gagnée. Elle sourit, rit, parla, et ils passèrent encore une heure heureuse à se promener. Puis ils revinrent à la voiture par les pittoresques petites ruelles et le voyage du retour s'effectua entre chien et loup. Avec le soir, la température était tombée d'un seul coup, mais Alys avait chaud au cœur comme cela ne lui était pas arrivé depuis longtemps. Elle avait le sentiment qu'elle et Rand étaient à nouveau amis. Bien sûr, ça n'avait rien à voir avec leur amour passé. Cependant, la glace était rompue. Ils n'étaient plus séparés par cet horrible mur d'hostilité et d'indifférence. Elle ne comprenait pas vraiment les raisons de sa joie : après tout, rien n'avait fondamentalement changé; et pourtant il y avait très, très longtemps qu'elle ne s'était pas sentie aussi bien.

A leur arrivée à la maison, ils retrouvèrent Stuart, Noël et Jim au salon.

– Vous avez passé un bon après-midi? demanda Jim.

– Excellent! Nous avons joué les touristes, répondit Alys en retirant son manteau. Où sont les autres?

– Nat se prépare, je l'ai invitée à dîner dehors, expliqua Jim.

– Et maman est dans sa chambre avec Leila, ajouta Noël.

– Vous voulez boire quelque chose? intervint oncle Stuart. Oh! Rand, j'allais oublier! Sabina Garett a téléphoné. Elle a appris que tu étais ici et elle veut que tu la rappelles.

Le changement qui s'opéra en Rand fut spectaculaire. Son visage s'éclaira d'un large sourire qui remplaça celui, plutôt discret, qu'il avait réservé à Alys.

– C'est merveilleux! s'écria-t-il visiblement enchanté. J'ignorais qu'elle était ici. Je vais lui téléphoner tout de suite, dit-il en se hâtant vers le bureau.

Alys monta dans sa chambre. La colère faisait battre son cœur plus vite. « Eh bien, songea-t-elle, voici la preuve éclatante du peu de place que je tiens désormais dans la vie de Rand. »

Elle se souvenait très bien de Sabina. C'était une amie de collège de Rand. A l'époque, Alys en avait été jalouse. Et, tout en refusant de s'avouer qu'elle l'était encore, il n'en restait pas moins vrai qu'elle se sentait furieuse et blessée.

Son humeur ne s'améliora pas quand, descendant à table pour dîner, elle constata que la place de Rand était vide, ainsi que celles de Nat et de Jim. Elle regretta amèrement le jour où, pour la première fois, elle avait posé les yeux sur Rand Sheffield. Mais le mal était fait et son cœur meurtri.

Que faire, maintenant, sinon l'oublier et disparaître à jamais de sa vie?

5

Nat et Alys arrivèrent en même temps au salon où se trouvait déjà tante Fran, vêtue d'une ravissante robe bleu ciel.

– Bonjour, Alys! Viens t'asseoir à côté de moi. Alors, il paraît que tu as aidé Louisa et Nat à faire le ménage? C'est Nat qui me l'a dit. Tu n'as pas été invitée pour cela, ma chérie!

– Cela ne m'ennuie pas, répondit Alys avec bonne humeur. Et, de toute façon, je n'ai pas l'habitude d'être servie.

Se laissant tomber sur le canapé, elle prit la main de sa tante entre les siennes.

– Moi non plus, dit tante Fran avec un peu de tristesse. C'est pour cela que ce... ce qui m'est arrivé m'est tellement pénible.

– Mais tu fais des progrès de jour en jour, maman, répondit Nat d'un ton encourageant. Il faut simplement que tu sois patiente. Tu seras bientôt sur pieds et tu reprendras tes activités, tu verras.

– Peut-être. Je voudrais surtout être totalement remise pour ton mariage...

– Je pense que vous le serez, madame Taylor, intervint Leila qui venait d'entrer. Montrez-leur donc ce que vous avez pu faire aujourd'hui!

Après un instant d'hésitation, tante Fran plia les doigts de sa main gauche, les referma, puis les rouvrit à nouveau.

Nat se précipita sur sa mère et la serra dans ses bras.

– Oh, maman! C'est fantastique! Leila a raison. Tu seras sur pieds pour mon mariage! (Elle regarda l'infirmière en souriant et ajouta, la voix frémissante d'émotion :) Du fond du cœur, Leila, merci... Vous êtes capable de faire des prodiges! C'est pour ça que tout le monde vous adore!

Rougissant de plaisir autant que de gêne devant la gratitude débordante de Nat, Leila parut soulagée de voir Louisa entrer avec des tasses de chocolat fumant posées sur un plateau. Elles en prirent chacune une, et tante Fran demanda :

– Qu'y a-t-il eu au courrier aujourd'hui, Nat?

– Pas grand-chose... Quelques prospectus et le dernier numéro du *Magazine de la Mariée*.

Elle se leva, alla le chercher sur le guéridon, le posa sur les genoux de sa mère et se percha sur l'accoudoir du sofa. Elles passèrent l'heure suivante à parler trousseau, service en porcelaine, ameublement, appartements, lune de miel... et tout ce qui pouvait passionner une future jeune mariée.

– Tu reviendras pour mon mariage, n'est-ce pas, Alys?

– J'essaierai, promit celle-ci. Où comptez-vous aller en voyage de noces?

– En Floride, dit Nat d'un ton décidé. Comme Jim travaille pour l'Etat du Nouveau-Mexique, c'est certainement là que nous passerons le reste de nos jours... Et nous avons tous deux envie de voir autre chose que du désert ou de la montagne. De plus, nous n'avons jamais vu l'Océan...

– Vous adorerez l'Atlantique, prédit Leila. Mon père et moi avons fait un voyage organisé en Floride, il y a deux ans. Nous y avons passé des vacances merveilleuses! Le sable, les palmiers, la mer... Le dépaysement est total!

– Hmm, fit Nat. Au Nouveau-Mexique, les gens savent à peine à quoi ressemble l'eau! J'adore ce pays. Surtout Santa Fe... Mais j'aimerais voir quelque chose de complètement différent. Dis donc, maman, cette robe-là n'a pas l'air mal? En retirant le nœud à la taille, et en accentuant le décolleté...

Le téléphone sonna dans le bureau.

– Oh! Zut! lança Nat, agacée.

– Ne bouge pas, j'y vais! proposa Alys en sautant sur ses pieds.

– Merci! dit Nat avant de reprendre : Et celle-ci, maman? Tu la trouves trop stricte?

Alys passa au bureau et décrocha le récepteur.

– C'est toi, Alys? fit une voix grave et masculine.

– Oui, Rand, répondit-elle. Tu veux parler à quelqu'un?

– N'importe, dit-il d'un ton tranchant. J'appelle pour prévenir que je ne rentrerai pas pour déjeuner. Je reste chez Sabina, elle m'a invité.

– Très bien. Je transmettrai ton message à tante Fran.

– Merci. Je suis certain que cette nouvelle l'intéressera plus que toi.

– Certainement, laissa tomber Alys presque cassante. Autre chose?

– Non, rien. A ce soir.

Il y eut un déclic. Rand avait raccroché.

Alys se mordit nerveusement les lèvres et les larmes jaillirent de ses yeux. Il lui fallut plusieurs minutes pour se ressaisir avant de pouvoir revenir au salon. Il n'y avait plus rien entre elle et Rand, et elle se révoltait à l'idée de souffrir à cause de lui. Il pouvait faire tout ce qu'il voulait, elle s'en moquait complètement... Du moins, le souhaitait-elle. De retour au salon, elle annonça que Rand serait absent pour le déjeuner.

– Cette Sabina Garett! s'exclama Nat. Aurait-elle encore décidé d'accaparer Rand?

– Je la croyais mariée depuis longtemps... fit Alys rêveusement.

– Elle l'a été! expliqua Nat. Mais ça n'a pas duré. Elle a divorcé. Elle est journaliste à Albuquerque, tu sais. Elle doit être en vacances chez elle... juste au moment où Rand est ici... C'est curieux comme coïncidence! A moins qu'ils n'aient tout organisé à l'avance? J'aime bien Sabina, mais à mon avis, ce n'est pas du tout la femme qui conviendrait à Rand...

A cet instant, Alys leva les yeux et, voyant que Leila était toute pâle, elle se demanda si elle n'avait pas succombé, elle aussi, au charme de Rand...

Pourtant, lorsque Noël et son père rentrèrent pour déjeuner, Alys n'en fut plus aussi sûre. Comme à son habitude, Noël était aussi gai qu'élégant et plein d'aisance.

– Bonjour, ma toute belle! dit-il à Alys. Comment vas-tu?

– Très bien, merci!

Elle allait lui poser des questions sur sa matinée quand Leila sortit de la chambre de Mme Taylor. Noël courut vers la jeune infirmière et lui mit un bras autour des épaules, avec le plus grand naturel.

– Vous ai-je cruellement manqué?

Leila rit en rougissant légèrement.

– Pas le moins du monde!

– Tu as l'air d'oublier que tout le monde ici prépare mon mariage! décréta Nat. Il y a des sujets de préoccupation autrement plus intéressants que ta petite personne, frère de mon cœur!

– Ton mariage? s'écria Noël. Et le nôtre? ajouta-t-il en se tournant vers Leila.

– N'écoutez pas ses balivernes, conseilla Nat d'un

ton gentiment protecteur. La dernière fois qu'il a fait le coup du mariage, c'était à Alys...

– Qui a vertement refusé! précisa Noël. De sorte que si vous voulez de moi, mon cœur, dit-il à Leila, je suis toujours libre...

Puis il se pencha vers elle et lui murmura à l'oreille quelques mots qui la firent rire et rougir de plus belle.

On passa à table et, après le déjeuner, Noël réussit à convaincre Leila de faire quelques pas avec lui avant d'aller travailler. Pensive, Alys les regarda partir. Si Leila s'intéressait à Rand, pourquoi ne repoussait-elle pas les avances de Noël? Etait-elle simplement une fille facile capable de se jeter dans les bras du premier venu? A la voir, on lui aurait donné le Bon Dieu sans confession, mais Alys commençait à avoir des doutes.

Son impression se confirma le soir même lorsque ayant revêtu une robe de jersey rose tendre à col de dentelle blanche, elle descendit au salon où toute la famille était rassemblée en attendant le dîner. Rand et Leila, assis l'un à côté de l'autre sur le canapé, un verre à la main, discutaient comme de très bons amis. Rand avait passé son bras derrière les épaules de Leila sur le dossier du canapé. Ce spectacle mit Alys hors d'elle. Après le déjeuner avec Sabina, c'était la goutte qui faisait déborder le vase. Tout était très clair : Rand lui signifiait nettement qu'il s'intéressait de près à d'autres femmes libres.

Le hasard voulut que Leila remarquât le regard d'Alys.

– Oh! Bonjour, Alys! s'écria-t-elle.

– Bonjour, répondit Alys d'un ton neutre.

Puis elle se servit un whisky, alla s'asseoir de manière à leur présenter son profil et porta le verre à ses lèvres.

La première gorgée lui brûla la gorge. A la deuxième, les larmes lui piquèrent les yeux au point qu'elle dut battre des paupières pour s'empêcher de pleurer. Elle espérait que son visage n'était pas en feu comme sa gorge.

Rand la regardait sans broncher et, dans son for intérieur, elle le mettait au défi de lui dire un seul mot. Quant à Leila, elle continuait à parler de films qu'elle avait vus comme si de rien n'était.

Louisa apparut à la porte du salon : tante Fran voulait voir Leila. L'infirmière posa son verre sur le guéridon et se leva instantanément. Louisa repartit vers sa cuisine.

A peine Rand et Alys étaient-ils seuls qu'il était à côté d'elle, lui arrachait le verre des mains et en jetait le contenu dans la cheminée. L'alcool s'enflamma avec un crépitement chuintant.

— Tu n'as pas le droit de faire ça! explosa-t-elle en se levant, rouge de colère. Absolument pas le droit! Est-ce que tu as perdu la tête?

— C'est à toi qu'il faut poser la question! riposta-t-il. Tu sais très bien que le moindre verre d'alcool te rend horriblement malade!

— J'ai tout de même le droit de faire ce qui me plaît!

— Non! Je suis ton mari et mon devoir est de m'opposer à tes lubies suicidaires!

— Mon mari? A voir toutes les femmes avec lesquelles tu as cousiné aujourd'hui, permets-moi de trouver ce mot déplacé!

Le visage de Rand se durcit.

— Je t'ai déjà dit que tant que notre mariage resterait secret, je le considérerais comme nul et non avenu. Mais je tiens à assumer mes responsabilités en tant que mari chaque fois que ce sera nécessaire. Peux-tu me dire pourquoi tu cherchais à te rendre malade?

– Je ne cherchais pas à me rendre malade, répondit-elle d'une voix fatiguée. J'avais besoin... de quelque chose de fort. C'est tout.

Il s'approcha d'elle à la toucher presque et elle pouvait voir ses yeux noirs brillants et sa bouche sensuelle tout près.

– Je pourrais te prouver ma force, dit-il d'une voix rauque. (Il la détailla des pieds à la tête d'une façon non équivoque.) Puisque nous sommes toujours mari et femme, je ne vois pas ce qui nous empêcherait de profiter des avantages de notre situation. Il y a beaucoup de points sur lesquels nous sommes en désaccord, mais au lit, nous nous entendons parfaitement...

– Tu es... tu es méprisable! cria-t-elle, pleine de colère. Odieux! Tu n'as pas cessé d'être aux petits soins pour ces dames toute la journée et tu voudrais que je te tombe dans les bras et même que je te dise merci? Eh bien, n'y compte pas!

Elle lui tournait résolument le dos au moment où oncle Stuart entrait dans la pièce. Rand se mit à lui parler d'un ton égal et détendu sans que rien dans son attitude ne puisse laisser supposer qu'une scène orageuse venait d'avoir lieu entre lui et Alys. Celle-ci resta près de la cheminée, faisant mine d'être fascinée par le feu alors qu'en réalité elle tentait de maîtriser le flot de ses émotions.

Puis Jim Madden arriva, suivi de Nat et de Noël, et Alys fut capable de faire bonne figure.

Après le dîner, ils se retrouvèrent tous, comme chaque soir, au salon. Tante Fran, se sentant un peu lasse, n'était pas descendue et son mari prenait le café avec elle.

Aussi nerveux qu'Alys, Noël alla mettre une cassette dans le magnétophone, et une musique romantique et tendre emplit la pièce. Puis il vint s'asseoir sur l'accoudoir du fauteuil d'Alys. Elle en fut un peu étonnée. A midi, il n'avait eu d'yeux que pour Leila, et voici que ce soir, il semblait l'éviter... Alys regarda l'infirmière et, aussitôt, son cœur se serra.

Debout sur le seuil de la porte du patio, Leila était en grande discussion avec Rand. Cette fille n'était décidément qu'une petite coquette qui ne songeait qu'à mettre les hommes en rivalité... Que voulait-elle, au juste? Les rendre fous de jalousie jusqu'à ce que l'un d'entre eux la demande en mariage?

Alys songea avec amertume qu'au moins Rand n'était pas en mesure de lui demander de l'épouser pour l'instant... Une fille pareille aurait-elle la patience d'attendre qu'il soit libre? Rien n'était moins sûr.

— On danse? suggéra Noël, interrompant le cours de ses pensées.

Jim et Nat étaient déjà sur la piste improvisée.

— Pourquoi pas? dit-elle en se levant.

Noël l'enlaça, et très vite elle chercha Rand des yeux et vit qu'il dansait avec Leila. La jeune fille se serrait contre lui, un bras autour de son cou. Alys ferma les yeux, incapable d'en voir davantage.

La musique s'arrêta enfin, et elle regagna sa place. En passant près de Rand, elle l'entendit distinctement chuchoter à Leila :

— Allez chercher votre manteau! (Puis il annonça à haute voix, lorsque l'infirmière fut partie :) J'emmène Leila faire un tour en voiture. A plus tard!

Là-dessus, cherchant Alys des yeux, il la fixa un long moment avec une expression énigmatique, ni hostile ni moqueuse, comme s'il voulait lui faire comprendre quelque chose. Mais quoi?

Alys souffrait trop pour tenter de déchiffrer ce silencieux message. Et quand Leila revint avec son manteau et partit en compagnie de Rand, Alys crut défaillir. Tournant les yeux vers Noël, elle fut frappée par son air malheureux. Et, brusquement, elle comprit que, malgré ses allures insouciantes, il avait fini par tomber amoureux. Le drame voulait que ce fût d'une fille qui sortait avec le premier qui l'invitait. Alys était désolée pour lui, bien sûr, mais aussi pour elle-même. Elle se demandait avec angoisse si Rand perdrait un jour le pouvoir de la blesser... Et quand se lèverait ce jour béni...

6

Se laissant aller contre les oreillers d'Alys, Nat bâilla paresseusement et étira ses longues jambes. Elle venait de boire une tasse de café. Alys, toujours en chemise de nuit, était installée dans un fauteuil, les mains autour d'un bol de chocolat.

– Louisa nous traite comme des coqs en pâte! commenta Alys.

– Dis plutôt que c'est du chantage! dit Nat en riant. Elle sait que nous devons sortir, et comme elle déteste faire les courses, elle espère que nous les ferons pour elle!

Alys sourit et Nat ajouta:

– Tu sais, Alys, si je ne me marie pas au plus vite, je vais dépérir par manque de sommeil! Et Jim aussi!

– A quelle heure est-il parti, hier soir? demanda Alys qui avait quitté le salon à 10 heures, laissant Jim et Nat attendre seuls le retour de Rand et Leila.

– Deux heures du matin, dit Nat en buvant une gorgée. Lis-moi la liste de tes courses, Alys.

– Une combinaison de ski, pour commencer. Et des souvenirs pour mes amis et mes collègues de travail. J'ai promis à Mary-Jane de lui rapporter une couverture navajo, et j'ai envie d'en acheter une pour moi... Et puis des bricoles pour quelques amis moins proches. Sans oublier Cal et les enfants, bien sûr. Je pourrais acheter tout cela à la galerie, non?

– Et pour ton petit ami? lança Nat perfidement. Tu as beau dire que tu n'en as pas, j'ai du mal à le croire. Es-tu sûre de n'oublier personne dans ta liste de cadeaux?

Alys pinça les lèvres en pensant à Rand.

– Non, non, je n'ai pas de petit ami!

– Comment est-ce possible? s'entêta Nat, imperturbable. Tu es très jolie et je suis sûre qu'il y a une foule de garçons qui l'ont remarqué. Tu sais, j'ai toujours pensé que tu te marierais avant moi...

Alys songea que Nat avait toujours vu juste, dans ce cas. Mais elle ne voulait pas se laisser envahir par l'amertume, surtout après les affronts qu'elle avait subis de la part de Rand courtisant Sabina et Leila... Désormais, Alys ne pouvait plus dire la vérité aux Taylor, sa fierté le lui interdisait. Que penseraient-ils en apprenant qu'elle était la femme de Rand, après l'avoir vu lui préférer ostensiblement la compagnie d'autres femmes?

Mais Nat attendait une réponse et Alys haussa les épaules.

– Je ne sais pas. Peut-être n'ai-je pas encore rencontré celui qu'il me faut? répondit-elle évasivement.

Elle se leva, s'étira et changea adroitement de sujet.

– On ne va pas perdre du temps en discussions oiseuses par une aussi belle journée! Et puis ce chocolat m'a ouvert l'appétit: j'ai une faim de loup! Allez, on s'habille et on descend.

Nat sauta du lit en riant.

– D'accord! A tout de suite.

La salle à manger était déserte lorsqu'elles y entrèrent pour prendre leur petit déjeuner. Louisa leur expliqua que les trois hommes étaient déjà partis. Leila avait déjeuné aussi et était avec tante Fran. Après avoir empli les assiettes, Louisa vint se mettre à côté de la table, les bras croisés, prête à bavarder.

– Alors, les filles, vous avez une journée chargée en perspective? demanda-t-elle, l'air de rien.

Nat jeta un coup d'œil entendu à Alys.

– Au contraire! Nous avions l'intention de paresser à la maison...

– Comment? s'étonna Louisa. Vous allez rester enfermées par un temps pareil? (Elle hocha la tête, apparemment dépassée par une telle hérésie.) Moi, si j'étais vous, je passerais ma journée à faire du lèche-vitrines, par exemple.

Alys regarda la cuisinière tout en essayant de garder son sérieux.

– Et dans quels magasins?

– A l'épicerie, déclara Louisa sans malice, déclenchant l'hilarité des deux filles.

– D'accord, Louisa, tu as gagné! Donne-moi cette liste! dit Nat en tendant la main, résignée.

– *Gracias, niña*, fit-elle avec un sourire ravi et satisfait.

Et ayant sorti de sa poche un morceau de papier qu'elle posa devant Nat, elle regagna sa cuisine au plus vite, craignant visiblement que celle-ci ne se ravise.

– Qu'est-ce que je disais? dit-elle dès que Louisa fut hors de portée de voix.

– Et c'est la même comédie chaque fois? demanda Alys, amusée.

– Chaque fois! certifia Nat. Mais j'adore faire les courses. A propos, il faut demander à maman si elle n'a besoin de rien, en ville.

Elles trouvèrent tante Fran seule, en train de lire le journal.

– Où est passée Leila? Je la croyais avec toi, dit Nat.

– Oui, mais je voulais lire le journal avant de faire mes exercices. Elle doit être dans sa chambre.

– Pourquoi ne pas lui demander si elle veut que nous lui rapportions quelque chose, pendant que nous y sommes?

Alys y alla de bonne grâce et trouva Leila assise devant le secrétaire de sa chambre, en train d'écrire une lettre qu'elle retourna précipitamment de manière insultante pour sa visiteuse. Que s'imaginait-elle? Qu'Alys, folle de curiosité, allait lire par-dessus son épaule?...

Il fallait reconnaître que Leila était ravissante en chandail vert et pantalon marron. Et en la voyant aussi charmante, Alys éprouva un sentiment de jalousie, se demandant jusqu'à quelle heure elle était restée seule avec Rand, la veille au soir.

– Je vais faire des courses avec Nat. Voulez-vous que nous vous rapportions quelque chose? demanda-t-elle avec un sourire contraint.

Leila fit non de la tête.

– Non, merci, je n'ai besoin de rien...

Alys désigna la lettre qui se trouvait sur le secrétaire.

– Si vous avez presque terminé, je peux vous la mettre à la boîte? Nat doit passer à la poste.

Le visage de l'infirmière se colora légèrement.

– Non, je vous remercie. J'ai encore du courrier à faire, et je posterai tout ensemble quand j'aurai fini.

– Comme vous voudrez. A plus tard!

Et, refermant la porte derrière elle, elle se demanda pourquoi Leila faisait tant de mystères et semblait si nerveuse à propos de cette lettre...

La matinée fut très agréable. Le soleil était éclatant et l'air si doux qu'on se serait plutôt cru au début de l'automne qu'au cœur de l'hiver. Les monts Sangre de Cristo s'élevaient dans toute leur majesté derrière la ville.

– Si le temps se maintient au beau, s'inquiéta Alys, je crains que nous n'ayons pas assez de neige pour skier...

– En altitude, il fait toujours plus froid qu'en ville, lui fit remarquer Nat. Il n'y a aucun souci à se faire.

Alys s'acheta une combinaison de ski rouge vif, couleur idéale pour faire ressortir ses cheveux de jais et ses yeux noirs pétillants.

– Tu ne risques pas de passer inaperçue! Tu vas avoir l'air d'une rose Baccara sur la neige, s'écria Nat en riant.

Alys était ravie de son achat et impatiente de l'étrenner.

Elles achetèrent ensuite des canevas, des aiguilles et des bobines de soie de toutes les couleurs pour tante Fran. Sa main gauche bougeait un peu mieux chaque jour et elle avait envie de se lancer dans la broderie. Outre un bon exercice, ce serait un passe-temps agréable pendant sa convalescence. Après être passées à la poste, Alys et Nat allèrent déjeuner.

Il était un peu plus de 2 heures lorsqu'elles arrivèrent devant la galerie.

– J'ai une idée! dit Nat en s'arrêtant devant le magasin. Pendant que tu choisis tes cadeaux, je vais faire les courses pour Louisa. On se retrouve ici dans une heure, d'accord?

– Entendu, dit Alys en sortant de la voiture.

Tandis que Nat repartait, Alys poussa la lourde porte de bois. Oncle Stuart s'affairait dans le hall d'exposition.

– Qu'est-ce qui nous vaut le plaisir de ta visite? s'écria-t-il en la voyant.

– Le shopping! répondit-elle en souriant. Comme tous les touristes qui passent par ici, je viens acheter des souvenirs pour mes amis.

Oncle Stuart eut un large sourire.

– Que puis-je faire pour votre service, madame? s'enquit-il avec un empressement de commande très convaincant. Un cendrier en argent? Une bague en turquoise? Des mocassins?

– C'est-à-dire que je ne suis pas vraiment fixée... fit-elle en rentrant dans son jeu. Puis-je jeter un coup d'œil?

– Mais certainement! Et n'hésitez surtout pas à faire appel à moi si vous avez besoin de quoi que ce soit, proposa-t-il d'un air plein de malice.

– Eh bien... Je vais prendre deux de ces terribles tam-tams pour les enfants, et il me faut aussi une couverture...

Des clients entrèrent à ce moment.

– Je suis un peu débordé aujourd'hui, avec un employé malade et Joe qui a dû prendre son après-midi, avoua oncle Stuart. Alors, sers-toi. Tu trouveras Noël dans le bureau... ainsi que du café chaud...

– Merci, répondit-elle en se dirigeant vers l'escalier. A tout à l'heure!

Et elle choisit un très beau plaid navajo aux dessins géométriques rouges et noirs pour Mary-Jane, un portrait de chef indien en tenue de cérémonie pour Cal, des paniers et des boucles d'oreilles en argent orné de turquoises pour ses collègues. Le collier qu'elle avait tant admiré n'était plus là. Quelqu'un l'avait acheté, ce qui n'avait rien d'étonnant étant donné sa grande beauté.

Redescendant au rez-de-chaussée, Alys trouva Noël perdu dans les paperasses.

– Puis-je entrer? demanda-t-elle, s'étant arrêtée sur le seuil de la pièce.

– Quelle joie de te voir! s'écria-t-il en se levant. J'ai vraiment besoin d'une pause, ajouta-t-il en désignant du menton le travail qui l'attendait. D'ailleurs, j'ai quelque chose pour toi.

– Pour moi?

Ouvrant une petite armoire encastrée dans l'épaisseur du mur, il prit un objet rectangulaire enveloppé dans du papier de soie et tendit le paquet à Alys.

– Ouvre-le! dit-il en la voyant hésiter.

Dès qu'elle eut défait l'emballage, elle poussa un cri de joie.

– Oh, Noël! C'est merveilleux!

Attendrie, elle contemplait la miniature de sa mère, dont elle avait hérité les cheveux noirs. Mais là s'arrêtait la ressemblance, car sa mère avait les yeux turquoise comme les ciels mexicains, un teint laiteux et diaphane comme la fleur de yucca. Alys savait que son père avait follement admiré la grande beauté de sa femme, et ce portrait en était la preuve. Seul un amour vibrant avait pu guider la main qui avait peint une miniature aussi exquise.

Elle sentit sa gorge se nouer et les larmes lui monter aux yeux.

– Et où... où l'as-tu trouvée? demanda-t-elle très émue.

– Avec les papiers de ton père, aussi curieux que cela puisse paraître. J'étais tellement certain de ne pas l'y avoir vue quand je les ai rangés... Je ne comprends pas comment elle a pu m'échapper. En tout cas, la voilà! C'est l'essentiel.

– Merci, Noël! Merci du fond du cœur. Ce portrait est si précieux, pour moi!

Subitement les larmes jaillirent de ses yeux.

– Eh là! protesta Noël soudain inquiet, ne va pas te transformer en fontaine!

Mais il l'entoura de ses bras, en un gēste plein de

tendresse. Puis, se penchant sur elle, il posa ses lèvres sur celles d'Alys. A cet instant précis, la porte s'ouvrit, et ils se séparèrent aussitôt. Rand se tenait sur le seuil, le regard meurtrier.

Il sembla à Alys que le silence qui suivit dura une éternité. Ce fut Noël qui le brisa.

– Tu veux quelque chose, Rand?

– Nat est garée devant la porte, répondit-il froidement. Elle attend Alys et, comme elle ne veut pas descendre de voiture, elle m'envoie le lui dire... Je t'ai cherchée partout avant d'entrer ici... dit-il en regardant Alys, mais je vois que je vous dérange...

Elle baissa les yeux, incapable de prononcer un mot tandis que Noël prenait la mouche.

– Ecoute, Rand, tu fais irruption ici pendant que je suis en train d'embrasser Alys. Et alors? C'est un crime, peut-être? A l'avenir, garde tes commentaires insidieux pour toi. Ils sont aussi déplacés que malveillants.

– Excuse-moi, dit Rand d'un ton sec où ne perçait aucune trace de regret. Alors, Alys, tu viens? Nat t'attend!

– Je vais t'aider à porter tes achats, proposa Noël.

– Inutile, je m'en charge, intervint Rand. Je suis certain que tu es débordé de travail. C'est ça? poursuivit-il en montrant la chaise qui disparaissait sous les paquets.

Elle acquiesça de la tête et il les prit tandis qu'elle allait chercher la miniature sur le bureau avant de suivre Rand sous l'œil perplexe de Noël. Comment aurait-il pu comprendre ce qui avait poussé Rand à faire des commentaires aussi odieux? Et comment aurait-elle pu le lui expliquer? Elle lui fit un petit sourire triste.

– Au revoir, Noël. Encore merci, murmura-t-elle.

Elle rejoignit Rand dehors, trop furieuse pour lui

parler de la miniature et lui dire le pourquoi et le comment des larmes qui avaient entraîné le baiser de Noël.

Pendant le trajet de retour, elle prêta une oreille distraite au bavardage de Nat. Le temps avait changé. Il faisait froid, le ciel était de plomb et le vent soufflait par rafales, ce qui ne fit qu'accentuer son vague à l'âme. Toutes ses pensées – des pensées sombres, tristes – tournaient autour de cet homme au masque impénétrable qui venait de l'escorter jusqu'à la voiture, comme s'il était son ange gardien. Les paquets n'avaient été qu'un prétexte. Il ne les avait pas portés par galanterie mais pour empêcher tout contact supplémentaire avec Noël. Alys le savait parfaitement et la rage la prenait en repensant à la scène qui avait suivi, où Rand l'avait traitée comme une vraie débauchée à cause de ce baiser... Le premier depuis le départ de Rand! Mais elle aurait préféré n'importe quoi plutôt que de le lui avouer.

Elle parvint à dissimuler son désarroi jusqu'à la fin de la soirée, s'arrangeant pour ne pas adresser la parole à Rand qui était son voisin de table, et espérant que ses sourires et sa conversation feraient diversion. Elle vit bien cependant que Noël ne s'y laissait pas prendre. Son regard intrigué allait sans cesse d'elle à Rand et il semblait décidé à percer le mystère de la conduite de Rand dans le bureau de la galerie. Quant à Rand, il ignorait Alys exactement comme si elle était invisible.

Elle monta dans sa chambre peu après le dîner, se plaignant d'une migraine qui n'était malheureusement pas un prétexte. Nat et Jim devaient sortir et elle n'avait aucune envie de se retrouver avec Rand, Noël et Leila, ou pire, d'assister au départ de Rand avec l'infirmière, comme la veille.

Ayant fermé la porte de sa chambre, elle enleva

sa jupe paysanne et son corsage blanc. Elle n'avait pu mettre sa chaîne ce soir-là, à cause de son décolleté. Et pour la première fois, au lieu de tendre automatiquement le bras vers son coffret à bijoux pour la reprendre, elle s'assit sur son lit, en soutien-gorge et slip, et enfouit son visage dans ses mains. Ces vacances tant attendues se transformaient en un vrai cauchemar. Un coup frappé à la porte lui fit relever la tête.

– Un instant!

Elle passa rapidement un peignoir en éponge et alla ouvrir. Son cœur fit un bond dans sa poitrine lorsqu'elle vit Rand.

Il entra sans un mot et referma la porte derrière lui. Le col ouvert de sa chemise de soie blanche laissait voir la toison sombre qui couvrait sa poitrine. Quelques mèches argentées retombaient sur ses sourcils aussi noirs que ses yeux. Il détailla Alys d'un air arrogant, s'attardant sur ses cheveux soyeux et décoiffés, sur la nudité de ses bras et de ses jambes...

– Que viens-tu faire ici? dit-elle avec colère. Tu ne crois pas que tu as suffisamment gâché ma journée comme ça?

– Je t'avertis que si je te surprends encore dans les bras de Noël, ce ne sera pas seulement une journée que je gâcherai! Dois-je te rappeler que tu n'es pas libre de te livrer à ce genre d'exercices?

Il dit cela d'une voix si dure qu'elle lui fit face, les yeux luisants de fureur.

– Parce que toi, tu vis en ermite depuis trois ans? répliqua-t-elle d'un ton aigre. Hier soir, c'était Leila. La veille, Sabina. Et sous mes yeux! Et tu as le toupet de venir me reprocher un baiser? poursuivit-elle avec un rire qui sonnait faux. Puisque tu ne te sens lié à moi par rien, pourquoi le serais-je, moi, vis-à-vis de toi? Non, non... Rand, je suis un être humain et à ce titre, j'ai besoin d'affection!

Deux enjambées, et il était tout près d'elle. Ses mains plaquées sur ses épaules, il la secouait sans ménagement. La violence du geste desserra la ceinture d'Alys et son peignoir s'entrouvrit, révélant ses seins qui se soulevaient et les courbes de ses hanches à peine dissimulées par la lingerie transparente qu'elle portait. Il la tenait si fermement qu'elle ne pouvait rajuster son peignoir.

– Regarde-moi! cria-t-il. Cette tenue suggestive m'est-elle destinée? Serait-ce une invitation à passer aux actes?

– Non! s'écria Alys, pantelante. Lâche-moi!

Il la laissa aller et, en dépit de sa brutalité, elle se surprit à regretter qu'il lui ait obéi. Le contact des mains de Rand avait embrasé son corps et fait naître en elle le désir douloureux qu'elle avait du mal à accepter. D'autant qu'il la considérait avec tant de mépris qu'elle eut soudain honte d'être à demi nue.

– Je suis le seul homme qui ait le droit de te faire l'amour mais je ne suis pas cruel au point de forcer une femme, même si elle m'appartient. Mais, je te le répète, je n'ai pas l'intention de tenir la chandelle ou de fermer les yeux tant que tu es ma femme, dit-il d'une voix qui claqua comme un coup de fouet.

– Je ferai ce qui me plaît, Rand Sheffield! déclarat-elle. Et ce n'est pas toi qui m'en empêcheras. Dès mon retour à New York, je demande le divorce. Plus jamais tu ne me parleras sur ce ton-là!

– Ça tombe bien, répondit-il, la voix rauque, tu n'es pas du tout le genre de femme qui m'intéresse... mais une égoïste capable de sacrifier son mari, son foyer... à ses petits intérêts!

– Inutile de rejeter tous les torts sur moi!

– Nous ferions mieux de ne pas discuter, dit-il, soudain plus calme. Nous ne faisons qu'envenimer les choses. C'est absurde.

– En effet.

– Alors, bonsoir, dit-il.

Il ferma la porte derrière lui, la laissant pleine de colère devant tant d'injustice. Et totalement désemparée par le désir plus fou que jamais qu'elle avait de lui.

7

La neige tomba toute la nuit. Alys s'éveilla tard et découvrit avec émerveillement un paysage immaculé aussi beau que prometteur d'un week-end réussi. Et puis elle frémit devant ce spectacle aussi glacé que son propre cœur. Elle enfila machinalement un jean et un sweater rouge. Elle avait mal dormi, la migraine ne l'avait pas quittée, et elle redoutait de retrouver Rand. Mais enfin, elle ne pouvait rester terrée dans sa chambre jusqu'au printemps comme les animaux qui hibernent...

Louisa avait déjà débarrassé la table et Alys dut aller à la cuisine, vaste, confortable et ornée de tresses de piments rouges qui séchaient lentement.

— Excuse-moi de te déranger, Louisa. Il reste du café?

La cuisinière leva les yeux vers Alys et hocha la tête d'un air navré en voyant sa mine de papier mâché.

— Je vais t'en faire du frais, ma jolie. Tu ne préfères pas du chocolat? Tu veux manger quelque chose?

— Oui, je veux bien du chocolat chaud, si cela ne te dérange pas. Mais je n'ai pas faim.

— Allez, installe-toi et dis-moi un peu ce qui ne va pas. Tu as des cernes qui te mangent la figure!

— Je n'ai pas très bien dormi...

– Tu nous couves quelque chose, toi, ou alors tu as mauvaise conscience!

Alys se mordit la lèvre. Louisa ne croyait pas si bien dire. Il était vrai qu'elle se tenait pour responsable de l'échec de son mariage, et ce matin, elle détestait Rand. Ce qu'il avait dit de son égoïsme l'avait frappée. Elle porta une main à sa tempe.

– Il y a de l'aspirine, quelque part?

Louisa lui donna deux cachets avec un verre d'eau.

– Tu es trop jeune pour avoir la migraine! s'écria-t-elle, tendrement alarmée. Nat n'a jamais mal à la tête, elle! Reste au lit aujourd'hui.

– Non, ça va passer, je t'assure. Nat dort encore?

– Elle est partie aider à la galerie, expliqua Louisa en posant des œufs et des toasts devant Alys, à côté du bol de chocolat fumant.

– Mais je ne veux rien manger!

– Ne dis pas de bêtises et mange! Tu te sentiras bien mieux après.

Alys lui adressa un sourire reconnaissant et obéit.

– Où sont... Leila et... Rand? demanda-t-elle à tout hasard.

– Leila fait son travail et Rand est parti Dieu sait où. La maison est presque vide. Tu peux aller te recoucher! Un petit somme de deux heures et ta migraine s'envolera...

– Je crois que je vais plutôt faire un tour au grand air, décida-t-elle, certaine de ne pouvoir rester allongée cinq minutes après avoir passé la nuit à se tourner et se retourner fébrilement dans son lit.

Le froid mordant lui fouetta le visage. Le col de son manteau relevé sur ses oreilles, les mains dans les poches, elle partit d'un bon pas. Les branches ployaient sous le poids de la neige et, de temps à autre, un écureuil bondissait ou un oiseau s'envolait. Alys s'engagea dans un petit chemin à flanc de coteau bordé de peupliers et de pins. Elle se mit à marcher plus vite, comme pour échapper à sa tristesse et à sa nervosité.

Dès son retour à New York, elle demanderait le divorce, puisque Rand était d'accord. Et ensuite? L'agence lui paraissait bien peu de chose, maintenant. Ce qui avait été son combat, son ambition puis son triomphe, avait soudain perdu tout intérêt. Cal, qui l'avait taquinée en lui prédisant qu'elle téléphonerait tous les jours pour se tenir au courant, en serait pour ses frais. Depuis qu'elle avait revu Rand, elle avait complètement oublié l'agence. Peut-être fallait-il y voir un signe de lassitude et un désir de nouveauté. Les formalités du divorce réglées, elle céderait ses parts à Cal qui rêvait d'être seul maître de l'agence, et elle irait refaire sa vie ailleurs. N'importe où. Elle en avait déjà parlé, certains soirs de fatigue et de découragement, à Cal et Mary-Jane, les seuls à connaître la vérité et qui avaient été témoins à son mariage.

Comme elle s'arrêtait un instant pour admirer les monts Sangre de Cristo, le souvenir de ce jour où, trois ans plus tôt, elle était devenue la femme de Rand, lui revint à la mémoire avec une étonnante précision. La cérémonie, toute simple et intime, qui avait eu lieu dans le salon des Borden, leur avait paru fastueuse et mémorable. Rand lui avait offert un magnifique bouquet d'orchidées blanches et de roses, et Mary-Jane avait préparé une énorme pièce montée à trois étages. Cal s'était occupé du champagne. Et l'amour flambait au fond des yeux de Rand, lui disant qu'elle était la femme la plus désirable du monde. Ils avaient passé leur lune de miel dans un chalet, en montagne. Un week-end inoubliable où ils avaient marché dans la nature, le jour, la nuit... Oh! Leurs nuits...

Alys ferma les yeux et reprit sa promenade. Ce n'était pas le moment de repenser à ces folles nuits d'amour où la passion les embrasait comme des torches. Enfuies, les nuits. Morte, la passion, et oublié, l'amour...

Elle se dit que si elle prenait un nouveau départ ailleurs, elle rencontrerait peut-être un homme capable de lui faire oublier Rand. Un homme qui lui ferait redécouvrir l'amour. Pourtant, au fond de son cœur, elle n'y croyait pas vraiment. On ne vit qu'une fois une passion comme la leur. D'instinct, elle savait que leur rencontre avait été le résultat d'une alchimie unique, complexe, presque magique. D'autre part, elle savait aussi qu'elle ne pouvait plus vivre avec Rand comme avant. Elle le haïssait, lui et sa manie de vouloir régenter son existence au nom de principes qu'il se gardait bien d'appliquer à sa vie à lui. Ils avaient trop changé, l'un et l'autre. Rand le lui avait fait comprendre en exigeant sa liberté, et Alys se dit vaillamment qu'en réalité c'était aussi ce qu'elle souhaitait.

Elle prit le chemin du retour en marchant moins vite qu'à l'aller. L'exercice et le grand air avaient fait disparaître sa migraine, sinon sa tristesse.

Le déjeuner en tête-à-tête avec Leila se passa dans un silence inconfortable. Le bavardage et la gaieté de Nat leur manquaient. Alys était obsédée par le désir de savoir à quoi Rand et Leila avaient passé leur temps... L'avait-il embrassée? Cette seule pensée la rendait malade de jalousie, bien qu'elle luttât de toutes ses forces pour se convaincre que Rand n'était plus rien pour elle.

« Je ne suis qu'une femme trop possessive qui se

cramponne, songea-t-elle amèrement. Je ne veux pas de lui mais je ne veux pas qu'une autre me le prenne... » Et elle se dit que le plus tôt serait le mieux pour le divorce. Après cela, il pourrait embrasser toutes les femmes qu'il voudrait!

Le repas terminé, elle monta se reposer et dormit jusqu'au soir. Pendant le dîner, on reparla du week-end et il fut décidé que tout le monde partirait dans l'après-midi du vendredi.

– J'aurais bien voulu partir plus tôt pour revoir Taos... l'atelier de papa et la tombe de mes parents... dit Alys.

– Je t'y emmènerai, lui proposa Rand contre toute attente.

– Toi? s'écria-t-elle en le regardant, stupéfaite.

– Oui, moi! J'ai loué une voiture et rien ne me retient ici. Nous pourrions partir dans la matinée, passer la journée à Taos et attendre les autres au chalet?

– Quelle bonne idée! dit Nat. Et vous aurez le temps de faire tout ça et même d'arriver au chalet avant la nuit, pour nous préparer un bon feu et des petits plats!

– J'étais sûr que tu allais trouver une corvée pour moi, dit Rand en faisant mine d'être furieux. Mais tu sais, tu peux très bien venir avec nous pour nous donner un coup de main...

– Pas question! J'attendrai Jim ici. Et puis quand on est trois, il y en a toujours un qui se sent de trop, n'est-ce pas?

Alys était embarrassée par la proposition de Rand. Les seuls moments agréables qu'ils avaient vécus depuis son arrivée avaient été fugitifs. Passer une journée entière seule avec lui l'effrayait.

Rand la regarda dans les yeux.

– Alors, Alys?

Que faire sinon accepter? Comme elle hésitait une seconde, elle vit à son regard qu'il lui lançait un défi. Aussi accepta-t-elle très vite, mais sous la nappe elle croisa les doigts et pria le Ciel pour que ce ne soit pas une énorme erreur.

8

Le vendredi matin, tante Fran eut une forte
fièvre.

– J'appelle le Dr Warner, dit Nat à Alys en sortant
de la chambre de sa mère.

Alys rejoignit les autres autour de la table du
petit déjeuner.

– Peut-être devrions-nous reporter notre sortie?
suggéra-t-elle.

– Francesca ne le voudra jamais, dit oncle Stuart.
Elle s'en est inquiétée tout à l'heure...

– Le docteur passera en fin de matinée, annonça
Nat qui venait de téléphoner. J'espère que c'est un
simple coup de froid...

– Que dit Leila? demanda Rand.

– Je dois rester auprès de Mme Taylor, termina
Leila qui entrait. Mais elle refuse obstinément que
je n'aille pas avec vous à cause d'elle. Qu'a dit le
Dr Warner, Nat?

– Il sera là dans deux heures.

– C'est à lui de trancher, conclut Leila.

– Rand et moi ne pouvons partir de bonne heure,
dans ces conditions, dit Alys.

– Pas question de chambouler tous vos projets!
protesta Nat. Si quelqu'un doit rester, c'est moi! Et
Leila et Noël doivent partir comme prévu!

Leila allait dire quelque chose mais Nat ne la
laissa pas prononcer un mot.

– Vous n'avez pas pris un seul week-end depuis que vous êtes ici. Allez-y pour ne pas gâcher le plaisir de Rand et d'Alys! Je suis tout de même assez grande pour suivre les instructions du docteur!

Oncle Stuart était du même avis que sa fille.

Finalement, on décida que Rand et Alys partiraient tôt et rejoindraient les autres au chalet, ainsi que Nat et Jim, si tout allait bien.

Ils bourrèrent le coffre de provisions. Noël se chargerait des skis. En rangeant le dernier paquet, Rand soupira :

– Nous emportons de quoi affronter un siège! Louisa a vraiment vu grand!

– C'est qu'elle sait qu'avec Noël, on n'est jamais trop prévoyant, dit Alys.

– Tu me le paieras! s'écria celui-ci en riant. Nat, tu as une mauvaise influence sur Alys. Comment veux-tu que j'en fasse une épouse modèle si tu la dresses contre moi?

Rand s'assombrit aussitôt. Et le pire, songeait Alys, c'était que Noël était amoureux de Leila, et que cela non plus ne serait pas du goût de Rand qui lui portait un intérêt évident.

– Est-ce qu'il n'est pas temps de partir, Rand? dit-elle pour faire diversion.

Ils se retrouvèrent bientôt dans la voiture, bien chaude grâce à la prévoyance de Rand. Alys retira sa veste, en profitant pour l'observer à la dérobée. Il fixait la route et son profil était dur et impénétrable. Ils avaient à peine fait un kilomètre qu'Alys se rendait compte de son erreur. Les remarques ineptes de Noël avaient mis Rand d'une humeur exécrable. La journée allait être interminable et pénible. L'atmosphère était déjà intenable.

– Rand? dit-elle avec courage

– Oui? répondit-il sans quitter la route des yeux.

– Si on décidait d'une trêve pour aujourd'hui? Sinon, ça va être un véritable enfer pour nous deux. Je préfère renoncer à ce voyage plutôt que d'être obligée de supporter ta mauvaise humeur jusqu'à ce soir.

Il lui jeta un coup d'œil rapide et pénétrant. Une colère sourde se lisait dans ses yeux sombres mais un sourire apparaissait timidement sur ses lèvres.

– Soit! Concluons une paix provisoire, dit-il en lui tendant une main où elle plaça la sienne après une brève hésitation.

Le regard qu'ils échangèrent scella l'armistice. Rand lui pressa la main puis la relâcha.

– Entendu, madame Sheffield! Votre chauffeur attend vos ordres.

– Eh bien... Conduisez-moi d'abord à la maison, monsieur Sheffield. On ne fera que passer. Puis nous irons à l'atelier de papa.

Les cent kilomètres qui séparent Santa Fe de Taos sont jalonnés par de petites propriétés, des ranches, des vallées et de magnifiques sites. Ce jour-là le paysage était une fantastique symphonie de blanc et de gris.

– Il neigera avant la nuit. C'est idéal pour le ski, dit-il.

– J'ai hâte de retrouver le ski! J'espère que Nat pourra venir.

– Je suis étonné que tu ne lui aies pas parlé de notre mariage, remarqua Rand, vous êtes très intimes toutes les deux...

– Je l'adore, mais elle est bavarde comme une pie et incapable de tenir sa langue. Tout le monde serait au courant en quelques heures!

– Et tu ne veux pas que l'on sache que tu es mariée?

78

– Et toi? répondit-elle en se tournant vers lui. Pourquoi en parler puisque nous allons divorcer? Et puis, ce serait tourmenter inutilement tante Fran et oncle Stuart.

– Tu as certainement raison, dit-il sans conviction. C'est que j'ai une telle horreur des cachotteries...

Il alluma une cigarette, et Alys se souvint que jadis, quand il était au volant, elle le faisait pour lui.

Ils passèrent les gorges du Rio Grande et aperçurent enfin Taos, nichée au fond du vallon au pied des monts Sangre de Cristo. Fondée par les Indiens pueblos, Taos avait été colonisée par les Espagnols venus conquérir des terres et convertir les Indiens. Puis les Américains étaient venus, soldats et marchands ensemble, à l'image du célèbre Kit Carson. Finalement, les artistes étaient arrivés, suivis de près par les touristes.

Rand s'engagea dans les ruelles tortueuses bordées de constructions en pisé, pour se rendre à l'ancienne demeure des Barclift. C'était une petite maison basse typique de la région, avec le toit en terrasse. Le jardinet de cactus qu'Alys avait planté, enfant, disparaissait presque sous la neige. A en juger par la balançoire rouge et blanche qui trônait dans la cour, il y avait aujourd'hui des enfants dans les lieux. Alys fut envahie d'une soudaine tristesse et, comme les larmes montaient à ses yeux, elle tourna vivement la tête.

– Partons, j'en ai assez vu, dit-elle à voix basse.

Rand démarra docilement.

– Tu es sûre de vouloir passer à l'atelier?

– Oui, répondit-elle en se tamponnant les yeux.

L'atelier était situé près de la place centrale. Rand gara la voiture et ils sortirent dans l'air vif. Alys frissonna.

– Brrr... Il fait froid...

Ils poussèrent la porte du bâtiment en pisé qui abritait l'atelier. Le nouveau locataire, Roger Wynn, était un jeune sculpteur qui se montra très amical dès qu'ils se furent présentés.

– Votre père a une sacrée notoriété, confia-t-il à Alys après avoir servi le café. Bien qu'il n'ait jamais vendu des œuvres lui-même, les gens venaient lui commander des tableaux. Et il en vient encore, pour voir les lieux... des admirateurs fervents... Une partie de son succès rejaillit sur moi : ils m'achètent toujours quelque chose...

– C'est ce que je vais faire aussi, dit Alys avec un sourire. Le daim qui est exposé sur cette table me plaît infiniment.

L'élégance du bel animal s'apprêtant à bondir était en effet admirablement rendue.

– Laisse-moi te l'offrir, dit Rand.

– Mais...

– Il n'y a pas de mais, décréta-t-il en lui prenant l'objet des mains. Vous pouvez faire un paquet ?

– Bien sûr, répondit le sculpteur avec un large sourire.

Lorsqu'ils furent dans la rue, Alys protesta.

– Tu n'avais pas besoin de faire ça ! Ne te sens surtout pas obligé de me faire des cadeaux. Je n'en attends aucun de toi !

– Ah, non ? railla-t-il, avec un regard intense. Alors, disons que j'ai satisfait un caprice. Ce daim me faisait penser à toi : ombrageux et folâtre, toujours prêt à fuir la vérité et la réalité...

– Ne dis pas ça, demanda-t-elle, soudain contrariée.

Il venait de gâcher son geste et le plaisir qu'elle aurait pu en tirer.

– Où Madame souhaite-t-elle aller, maintenant ?

Comme elle gardait le silence, il lui prit le bras et l'attira vers lui.

– Ecoute bien. Je voulais t'offrir quelque chose qui te plaise. Si tu dois le prendre en grippe parce que c'est moi qui l'ai acheté, va le rendre!

Il voulut lui prendre le paquet mais elle le serra contre son cœur en levant vers lui un regard surpris. Rand la fixait, sombre et les mâchoires crispées. Mais Alys sentit qu'il y avait autre chose que de la colère en lui. Il semblait comme blessé. Avait-elle, elle aussi, encore le pouvoir de le blesser?

Elle eut soudain honte de cette pensée et lui sourit.

– Le rendre? Non! Je te remercie de ce cadeau, Rand. J'aime beaucoup cette sculpture, en dépit de ce que tu as dit tout à l'heure. J'y tiens déjà infiniment...

Il desserra l'étau de ses doigts mais ne retira pas sa main, et son visage s'éclaira lentement d'un sourire.

– Peut-être ai-je droit à un baiser de toi, alors?

Les lèvres d'Alys frémirent et, baissant la tête, elle murmura :

– Oh! pas en pleine rue, monsieur Sheffield!

– Ce n'est donc que partie remise...

Avant d'aller déjeuner, ils ne manquèrent pas de visiter Taos Pueblo où se déroulait chaque année la célèbre fête de San Geronimo avec les danses de la Tortue, du Daim et du Blé.

– J'ai une préférence pour les fêtes de Taos parce que j'y venais seule avec papa...

Ils allèrent dans l'église de pisé blanchie à la chaux où Alys se recueillit un instant. Lorsqu'ils ressortirent, le vent s'était levé et rabattait la neige en violentes rafales.

– Le temps se gâte, dit Rand. On s'en va?

Ils décidèrent de faire un repas mexicain et, après la chaleur du restaurant, le froid mordant les saisit à nouveau :

– Où est passé le soleil du Nouveau-Mexique? dit Alys en relevant son col.

– Même ici, on ne peut pas tout avoir! répondit Rand en mettant d'autorité le bras d'Alys sous le sien.

– Je sais, murmura-t-elle, heureuse de marcher ainsi.

Ils se comportaient maintenant comme de vieux amis qui se seraient retrouvés avec plaisir.

Ils passèrent chez une fleuriste avant de se rendre au cimetière où la double pierre tombale des parents d'Alys se dressait dans la neige.

Indifférente au froid et au vent, Alys s'agenouilla et déposa sur les tombes jumelles une longue rose rouge, semblable à une tache de sang dans la blancheur de la neige. Puis, les yeux brûlants de larmes, elle pria.

Elle avait peu connu sa mère, morte prématurément; son père lui avait parlé d'elle de façon merveilleuse. Son père qui lui manquait si cruellement, même deux ans après sa disparition... Elle n'avait pas passé beaucoup de temps avec lui non plus, mais ils avaient eu une relation privilégiée, toute de tendresse. Elle se demanda ce qu'il aurait pensé de son mariage et quels conseils il lui aurait donnés.

Une main se referma sur son épaule.

– Lève-toi, tu es gelée.

Rand l'aida à se relever et, de ses doigts chauds, sécha les larmes qui baignaient son visage.

– Excuse-moi, balbutia-t-elle. Je me conduis comme une enfant. Tout ira bien dans... dans...

Elle voulut se détourner pour cacher son chagrin,

et, sans savoir comment, elle se retrouva dans ses bras, la tête contre sa large épaule musclée.

– Laisse-toi aller, pleure! lui murmura-t-il, les lèvres dans ses cheveux. Tu te sentiras mieux après...

Tant de douceur eut raison de ses dernières résistances et elle sanglota longtemps, pleurant ses parents perdus, mais aussi son mariage et sa vie brisés. Elle se calma enfin et resta là, sans penser, épuisée, contre la poitrine de Rand, havre de force et de paix. Elle prit le mouchoir qu'il lui tendait et, se mouchant, se dégagea de son étreinte, vaguement intimidée. Puis elle dit d'une voix qui tremblait :

– Je suis désolée...

– Ce n'est rien! Tu te sens mieux?

Elle répondit d'un petit sourire.

– Alors viens, il est déjà 4 heures. Il est temps de monter au chalet si nous voulons décharger la voiture avant la nuit. Et elle va tomber vite, ce soir.

Le ciel était en effet gris et chargé. La neige avait cessé de tomber mais le vent était devenu plus violent, balayant les montagnes Rocheuses de tornades glacées.

Une centaine de kilomètres les séparait encore du chalet. Il faisait bon dans la voiture dont le pare-brise était martelé par les bourrasques de grésil.

Lorsqu'ils arrivèrent à destination, le temps s'était encore dégradé. En quelques minutes, les coups de vent avaient été remplacés par un blizzard aveuglant qui rabattait les flocons à l'horizontale. La route qui accédait au chalet, niché parmi les épicéas et les trembles, commençait à disparaître sous la neige, et des congères étaient en train de se former. Si le temps ne s'arrangeait pas, elle deviendrait vite impraticable.

Ils sortirent de la voiture et, les bras chargés de provisions, se hâtèrent vers la maison. Il faisait aussi froid dedans que dehors, à cause du vent qui s'engouffrait par la cheminée.

– Inutile que tu ressortes, Alys. Je me charge du reste. Je vais chercher du bois. Et je vais aussi allumer le gaz.

– Tu crois que les autres vont pouvoir nous rejoindre? s'inquiéta Alys, une main sur le bras de Rand.

– Non, pas si le temps ne change pas...

– Si nous repartions tout de suite?

– Mieux vaut être bloqués ici que sur les routes, dit-il en jetant un regard circulaire autour de lui. Il y a bien une radio, dans cette maison? Essaie de la trouver pendant que je termine. On va écouter les prévisions météo.

Alys trouva un transistor dans la grande pièce et le ramena à la cuisine où elle commença à ranger les provisions.

Rand rapporta deux autres sacs et ressortit, toujours au pas de course. Le bulletin météo interrompit le programme musical. On annonçait une véritable tempête et la prévention routière recommandait aux automobilistes de ne pas prendre la route.

– Alors? fit Rand qui rentrait avec les derniers bagages comme le bulletin s'achevait.

– Tu avais raison, la tempête s'annonce violente, et certaines routes du Colorado sont déjà impraticables. Pourvu que Leila et Noël ne soient pas encore partis!...

– Je l'espère aussi, renchérit-il.

Alys se disait qu'il devait être très inquiet pour Leila, quand le téléphone sonna. Après avoir cherché l'appareil un moment, elle le trouva et décrocha.

– Allô! Alys? fit la voix de Nat. Il y a une heure que j'essaie de te joindre!

– Nous venons d'arriver. Que se passe-t-il?

– Noël et Leila ne pourront pas venir...

– A cause de la tempête?

– Non, à cause de maman. Elle a une bronchite et le docteur craint une pneumonie. Nous ne pouvons pas la laisser seule tout un week-end... Mais parle-moi un peu de cette tempête! Il neige un peu ici, mais sans plus.

– Au chalet, c'est catastrophique! Ne quitte pas, je te passe Rand.

Elle contempla les bourrasques blanches par la fenêtre, pendant que Rand parlait à mi-voix avec Nat. Il raccrocha.

– J'ai l'impression que nous allons devoir conclure une trêve plus longue, déclara-t-il d'un ton moqueur en regardant Alys dans les yeux.

– Ah... souffla-t-elle, terrifiée par cette nouvelle.

– Ne t'inquiète pas pour Noël, cracha-t-il. Avec tante Fran souffrante, Leila aura autre chose à faire que d'essayer de mettre le grappin sur lui... qui doit être fou d'impatience de te revoir...

– Oh, tais-toi! dit-elle, agacée.

Et elle sortit de la cuisine sans lui laisser le temps de répliquer.

9

« Dieu merci, le courant marche », se dit Alys en actionnant le commutateur de la cuisine. Elle entendit Rand claquer la porte et s'affaira à la cuisine, choisissant de faire réchauffer le civet que Louisa avait préparé, plat réconfortant entre tous par un temps pareil.

– J'ai branché le butane. Je vais allumer partout pour réchauffer la maison, annonça Rand.

Alys ne répondit pas, encore toute à sa colère. S'il en prit ombrage, il ne le montra pas, occupé à allumer les quatre brûleurs du poêle avant d'aller mettre des bûches dans la cheminée.

Avec ses deux chambres à coucher, une salle de bains minuscule, une petite cuisine et un séjour modeste, le chalet des Taylor était parfaitement équipé et confortable. La maison était à l'abri d'une haie de résineux et protégée par des boqueteaux d'arbres. La région était le paradis des chasseurs, puisque daims, ours et élans y abondaient. On y rencontrait même quelques pumas, sans parler des cailles, des faisans, des coqs de bruyère, des castors et des lièvres.

Alys avait la chasse en horreur, et elle ne serait pas venue si ce n'avait été pour skier.

Elle farina la viande, la mit dans une cocotte, pela des pommes de terre et attendit que l'eau du café se mette à bouillir. Le fourneau ronflait et il commençait à faire bon. Les vitres s'étaient couvertes de buée et Alys ne pouvait voir les branches qui, par moments, heurtaient les carreaux.

Lorsqu'elle tendit une tasse de café fumant à Rand, ils conclurent un cessez-le-feu de façon tacite, en un sourire.

– Merci, dit-il les yeux brillants. Tout va bien?

– Tout va bien, y compris le civet! Le chauffage marche dans les chambres et dans la salle de bains?

– Oui. Dans une demi-heure, il fera chaud dans toute la maison.

A ce moment-là, la lumière faillit s'éteindre, comme pour leur rappeler que la tempête faisait rage. Rand fronça les sourcils, termina son café et reposa sa tasse vide.

– Le courant va peut-être être coupé. Tu as vu des bougies ou des lampes à pétrole quelque part?

Alys secoua la tête. Une fois de plus, il y eut une baisse de tension.

– Il va falloir en trouver, et vite! ajouta-t-il.

Il partit à la recherche de lumières d'appoint tandis qu'Alys faisait le dîner, pendant lequel ils ne parlèrent que de la tempête. Elle mangea du bout des lèvres, les nerfs à fleur de peau. Elle avait toujours eu peur des éléments déchaînés mais le calme de Rand l'incitait à garder ses craintes pour elle. Si elle lui confiait qu'elle avait peur, nul doute qu'il ne profite de l'occasion pour rire de l'intrépidité bien connue des féministes.

Elle se sentait fatiguée et vaguement inquiète car le dernier sarcasme de Rand vis-à-vis de Noël prouvait bien que leur trêve était d'une extrême fragilité. Et elle ne se sentait pas disposée à rétablir la vérité sur ses relations avec Noël.

Alys était en train de débarrasser la table lorsque

le courant sauta. Le noir soudain lui fit froid dans le dos. Seules, les braises de la cheminée rougeoyaient dans l'obscurité, projetant des ombres inquiétantes sur les murs. Enfin, Rand alluma une lampe à pétrole.

La vaisselle essuyée et rangée, il ne leur restait plus qu'à paresser devant le feu, installés dans le canapé.

Dans la nuit, le vent continuait à secouer les arbres et à faire trembler les fenêtres. Rand tisonna le feu, ajouta une bûche et revint s'asseoir à côté d'Alys. Il alluma une cigarette et l'odeur du feu de bois mêlée à celle du tabac qui imprégnait légèrement les vêtements de Rand, la troubla. Elle avait les nerfs à vif.

— Parle-moi de cet homme que tu as rencontré, dit-il en rompant enfin le silence, d'une voix neutre et douce. Vas-tu l'épouser quand tu... quand tu seras libre? Lui ou Noël?...

— Tu as bien dit à tante Fran que tu avais une petite amie, non? Ce qui ne t'empêche d'ailleurs pas de tourner autour de Leila et de Sabina. Laquelle a ta préférence? Tu ne peux pas les jouer toutes les trois à pile ou face... une pièce n'a que deux côtés!

Le visage de Rand s'assombrit et un pli dur se forma entre ses sourcils.

— Je ne me souvenais pas que tu avais la langue aussi acérée! Je plains le malheureux que tu vas élire!

— Et moi, la malheureuse qui tombera sur un coureur de jupons comme toi! Elle ne pourra jamais être sûre de toi...

— Peut-on jamais être sûr de quiconque? Moi, j'ai eu foi en ton amour, et il n'a pas duré six mois! avoua-t-il sans la moindre gaieté. Et voilà que tu te retrouves seule avec moi dans une chalet isolé...

C'est Noël qui doit être jaloux et m'envier! Et je suis sûr que tu préférerais mille fois être avec lui plutôt qu'avec ton mari...

— Lui, au moins, est agréable à vivre! Il n'est pas sans arrêt en train de me provoquer ou de m'insulter, comme toi!

— Non, mais il n'a pas épousé une femme qui l'a mystifié!

— Je ne t'ai jamais trompé, si c'est ce que tu cherches à dire, s'écria Alys indignée de cette odieuse accusation.

— J'en suis le tout premier étonné, persifla-t-il. Une femme qui refuse de suivre son mari n'est sûrement pas étouffée par les scrupules. J'espère que les contrats que tu as décrochés pour ton agence en valent la peine et réchauffent ton lit l'hiver...

La gifle qu'elle lui donna claqua comme un coup de fouet. Elle était si horrifiée qu'elle ne remarqua pas la lueur qui brillait dangereusement dans les yeux de Rand.

— Je te hais d'avoir dit ça, tu entends? Je te hais!

Elle se leva d'un bond, courut dans sa chambre et fit claquer la porte derrière elle.

Il faisait noir dans la pièce. Elle alla jusqu'au lit à tâtons, et s'étendit. Elle s'en voulait de s'être laissée affecter à ce point par les attaques de Rand. Au bout d'un moment, elle l'entendit sortir, puis vit une lumière au-dehors. Elle prit le parti de se coucher même si elle savait ne pas trouver le sommeil à cause de la tempête qui faisait rage dans son cœur et dans la nuit. Rand était-il sorti pour se calmer ou pour scruter le ciel? Elle repensa à son attitude envers lui et eut honte. Elle avait passé les bornes en le giflant dans un accès de colère puérile.

Mais pourquoi l'avait-il poussée à bout avec ses sarcasmes d'une cruauté calculée?

Ayant terminé sa toilette, elle constata que Rand n'était pas dans la salle de séjour et commença à s'inquiéter. Pourquoi tardait-il? Il faisait trop froid pour rester dehors. En chemise de nuit et peignoir, elle hésita un instant. Elle allait l'appeler lorsqu'elle l'entendit rentrer et refermer soigneusement la porte.

Elle éteignit le chauffage et se glissa dans les draps glacés. Couchée en chien de fusil pour mieux conserver la chaleur, elle resta immobile, resongeant à la voix narquoise de Rand lorsqu'il lui avait demandé si c'étaient les contrats juteux qui réchauffaient son lit, l'hiver...

Pleine de rancune, elle décida d'essayer de ne plus penser à Rand. Mais le sommeil ne venait pas, et la tempête malmenait les arbres, rabattant des tourbillons de neige contre les vitres. Elle n'avait jamais vu une telle tourmente de sa vie et elle tremblait de peur et d'appréhension, seule dans ce lit. Mais sa fierté lui interdisait de courir le confier à Rand contre qui sa colère était loin d'être apaisée.

Après des heures, elle finit enfin par sombrer dans un sommeil agité et par quitter ce cauchemar éveillé de solitude glacée. Elle avait longtemps écouté Rand faire les cent pas dans la maison comme s'il était trop nerveux pour dormir. Puis il était allé se coucher dans la chambre voisine de la sienne.

Un formidable craquement la tira brutalement du sommeil.

– Rand! hurla-t-elle instinctivement en se pelotonnant au fond de son lit, en proie à une terreur panique.

La porte s'ouvrit d'un seul coup et le faisceau d'une torche électrique lui balaya le visage.

— Alys! s'écria-t-il en se précipitant sur le lit et en la prenant dans ses bras. Tu n'es pas blessée? ajouta-t-il, visiblement fou d'émotion et d'anxiété.

— Non... je ne crois pas, articula-t-elle en claquant des dents. Que... s'est-il passé? Il y a eu un vacarme épouvantable...

— C'est sans doute un arbre qui s'est abattu dans la cour. J'ai cru qu'il était tombé sur la maison et qu'il t'avait touchée...

— Pardon de t'avoir alarmé, balbutia Alys. Mais j'ai eu si peur!

Elle se blottit contre lui. Malgré le froid, il avait sa veste de pyjama ouverte; elle enfouit sa tête au creux de son épaule et noua ses bras autour de son cou. Ils restèrent un long moment enlacés jusqu'à ce que leur angoisse s'apaise. Mais lorsque Rand s'empara de la bouche d'Alys, le désir qu'ils avaient l'un de l'autre s'embrasa, vif comme un feu de broussailles. Alys sentit toute résistance l'abandonner tandis que les mains de Rand parcouraient sa poitrine palpitante.

— Alys, murmura-t-il contre sa joue, tu es toujours aussi douce...

Il éteignit la torche et chercha de nouveau sa bouche avec une impatience avide qui excita et choqua Alys. Puis il la recoucha tendrement et s'allongea contre elle, épousant étroitement les courbes de son corps. Lui ayant enlevé sa chemise de nuit, il se mit à caresser sa peau satinée. Elle ne pouvait penser à rien d'autre qu'à ces mains qui mettaient tous ses sens en alerte. Son corps vibrait et elle retrouvait ces mille sensations merveilleuses que seul Rand avait jamais su faire naître en elle. Alors, perdant toute notion de temps et d'espace, elle s'abandonna au désir lancinant qui les poussait l'un vers l'autre.

Enfin apaisés, ils reposèrent côte à côte, étroitement enlacés, un bras de Rand autour de la taille d'Alys.

– Oh, Rand! C'était... c'était...

– Je sais, chérie. C'était parfait... comme si nous n'avions jamais été séparés. Dors, maintenant, il est tard.

Elle soupira de bien-être, l'enlaça et s'endormit.

Il faisait grand jour lorsqu'elle ouvrit les yeux. Rand avait disparu. Le soleil inondait la chambre et la tempête n'était plus qu'un mauvais souvenir.

Les draps étaient froids à la place de Rand : il devait être levé depuis un bon moment. Elle se blottit sous les couvertures. Elle était nue, et sans Rand elle avait froid. Paressant au lit, avec délices, elle repensa à la nuit orageuse, merveilleuse, qu'elle venait de vivre. Et dans la quiétude du matin, elle admit qu'elle aimait encore Rand de tout son être. Par miracle, il lui rendait cet amour. Sinon, il n'aurait pas été un amant aussi exquis, tendre et passionné. Le cœur d'Alys se gonflait de joie en y songeant. Leur longue séparation n'était plus qu'un mauvais souvenir. Après une nuit pareille, ils ne pourraient plus jamais se passer l'un de l'autre. Il n'était plus question de divorce et de retour solitaire à New York... Ils allaient enfin pouvoir dire la vérité aux Taylor, et prendre un nouveau départ, main dans la main, sans permettre au moindre obstacle d'entraver leur bonheur...

Elle s'étira, se leva, fit une rapide toilette, enfila un jean et un pull et descendit. La maison embaumait le café frais et un beau feu flambait dans la cheminée. En jetant un coup d'œil par la fenêtre, elle vit Rand qui dégageait l'allée, en jean et grosse veste. Son cœur s'emplit d'amour et de tendresse en le voyant si beau, musclé et puissant.

Elle prépara le petit déjeuner en chantonnant et, quand tout fut prêt, elle ouvrit la fenêtre et appela Rand. Malgré le soleil éclatant, il faisait encore très froid. Une épaisse couche de neige recouvrait tout, plus haute au pied des arbres et enrobant la voiture.

Rand secoua la neige de ses bottes à la porte, et entra. Alys lui sourit.

– Bonjour! Tu dois avoir une faim de loup après tout ce travail!

Il jeta un coup d'œil par la fenêtre pour juger de ce qu'il avait fait.

– J'ai encore du pain sur la planche...

– Quand j'aurai fini de ranger la cuisine, je viendrai t'aider, proposa-t-elle tandis qu'il attaquait la pile de crêpes au sucre.

– L'électricité n'est toujours pas rétablie et le téléphone est coupé, annonça-t-il. Dieu sait combien de temps nous allons devoir attendre le chasse-neige!

Alys s'apprêtait à répondre que puisqu'ils étaient ensemble, elle s'en moquait éperdument, quand un détail infime brisa son élan : Rand évitait de croiser son regard. Il faisait exactement comme s'il ne s'était rien passé entre eux, la nuit précédente.

Quelque chose clochait. Il avait changé et elle sentit sa bonne humeur s'envoler en même temps que son appétit. Il parlait tranquillement des suites de la tempête, racontant que dans sa chute l'arbre avait frôlé la voiture et le chalet, que le sol était jonché de branches cassées... Elle l'écoutait à peine, troublée de constater encore une fois le pouvoir qu'il avait sur elle.

Il se leva de table, alluma une cigarette et, au moment de partir, la regarda droit dans les yeux pour la première fois de la matinée. Il avait son visage fermé des mauvais jours.

– Je suis navré pour ce qui s'est passé hier soir.

Elle crut avoir mal entendu. La gorge sèche, elle finit par balbutier :

– Mais... nous sommes mariés, Rand !

– C'était merveilleux, reconnut-il, et tu es toujours aussi délicieuse et généreuse, mais tu as toujours ton travail à l'agence... et d'autres hommes, dans ta vie. Quant à moi, je repars le mois prochain. Non, ne dis rien. Tu vas m'écouter jusqu'au bout. Depuis que je suis levé, je tourne et retourne le problème dans ma tête. Et j'en suis arrivé à la conclusion qu'il est inutile de rendre notre séparation plus difficile par des scènes comme celle d'hier soir. Mieux vaut les éviter. Dès ton retour à New York, tu entameras la procédure de divorce et puis nous pourrons l'un et l'autre refaire librement notre vie.

– C'est vraiment... ce que tu veux ?

Il acquiesça. Alys se força à sourire.

– Alors, soit !

Il la fixa longuement. Cherchait-il à trouver le défaut de la cuirasse en elle ? La souffrance qu'elle ressentait ? Ou bien était-il content de la voir aussi impassible ?

« Mon Dieu, pria Alys, faites qu'il ne devine pas la vérité ! Faites qu'il ne sache jamais que ce coup m'a achevée... »

Rand repartit pelleter la neige tandis que, dans la cuisine, Alys éclatait en sanglots. Alors qu'elle était enfin prête à suivre Rand au bout du monde et à proclamer à la terre entière qu'il était son mari, voilà qu'il ne voulait plus d'elle. C'était trop tard... Tout ce qu'il avait trouvé à dire était : « Je suis navré »... Dieu sait que si quelqu'un était navré, et au sens fort du terme, c'était bien elle, Alys...

10

La journée fut interminable. Alys, qui avait été si joyeuse à l'idée de rester bloquée ici avec Rand, était maintenant impatiente de quitter ce chalet et de fuir au plus vite la présence de Rand.

Fallait-il qu'elle ait été folle pour croire qu'il suffisait d'une nuit pour tout changer, effacer un passé douloureux et se lancer dans un avenir plein de promesses!

Rand avait eu une faiblesse passagère encouragée par leur isolement, la tempête, la terreur d'Alys... Et elle avait été assez sotte pour croire aussitôt à l'amour éternel! Or, Rand voulait avant tout rester indépendant. Il était vrai que beaucoup d'eau avait coulé sous les ponts depuis trois ans. Il avait, bien sûr, connu d'autres amours... L'homme viril et exigeant qu'il était avait dû rechercher la douceur et l'attention d'une autre femme après l'échec de son mariage. Comment expliquer autrement ce qu'il avait dit à tante Fran et sa détermination à divorcer? Il était certainement tombé amoureux d'une femme à laquelle il souhaitait donner son nom et sa tendresse...

Alys n'avait plus qu'à s'incliner et à lui rendre sa liberté, même si cela lui brisait le cœur. Elle n'avait plus le choix.

La vaisselle terminée, elle mit un bonnet, des gants et sortit. Elle fut consternée devant la quantité de troncs brisés et de branches cassées qui jonchaient le sol.

La voyant approcher, Rand s'arrêta de travailler et essuya la sueur qui mouillait son front.

– Si j'essayais de faire démarrer la voiture? proposa-t-elle.

– Bonne idée! Nous n'aurons plus qu'à attendre le chasse-neige...

Elle entreprit de dégager l'auto complètement enfouie sous la neige, et cette activité lui fit du bien, l'absorbant suffisamment pour lui faire oublier ses malheurs un moment. Le soleil lui chauffait les épaules et, comme Rand, elle enleva bientôt sa veste.

Ils s'arrêtèrent à midi pour manger un sandwich et boire du thé. Ils parlèrent peu. Mais ne s'étaient-ils pas déjà tout dit? Rand avait le visage fermé et l'air absent. Et Alys songeait en le regardant que cet homme, qui était pourtant son mari, était désormais un étranger pour elle. Son expression était dure et impénétrable. A quoi pouvait-il penser? Elle n'aurait su le dire. De toute façon, elle constatait qu'elle ne pouvait plus penser à rien. Et cet engourdissement de ses facultés lui permettait au moins de repousser le moment où sa souffrance se réveillerait dans toute sa force.

L'allée et la voiture furent enfin dégagées et ils se mirent à ramasser les branches que la tempête avait arrachées, autant pour se donner de l'exercice que pour éviter de se retrouver face à face.

Alys se jeta à corps perdu dans ce travail.

– Tu vas y laisser ta santé, Alys! s'inquiéta Rand. Tu veux trop en faire!

– Ça ira, répondit-elle en traînant une grosse branche vers le tas qui grossissait.

Alors il lui arracha des mains son fardeau qui retomba par terre.

– Pourquoi fais-tu cela? cria-t-il.

– Pour passer le temps! répondit-elle en lui jetant un regard furieux.

– Tu as hâte de rejoindre Noël, c'est ça?

– Franchement, oui. Je m'ennuie, ici.

Il la regarda d'un air désapprobateur, les mâchoires crispées, visiblement furibond de ne rien pouvoir lui dire puisqu'il lui avait fait clairement comprendre qu'elle lui était indifférente.

– Tu pourrais aller faire du chocolat chaud? Et tu vérifieras, par la même occasion, si la ligne est rétablie... Ainsi, tu pourras peut-être rassurer Noël sur ton sort.

Elle s'éloigna sans un mot ni un regard, soulagée de fuir un instant les yeux perçants et pénétrants de Rand.

La soirée fut très pénible. Ils se retrouvèrent sur le canapé, devant le feu, en train de feuilleter de vieux magazines dans un silence oppressant. Ce soir, pas la moindre scène et aucune tempête pour les jeter dans les bras l'un de l'autre...

Alys regrettait ce qui s'était passé la nuit précédente. Elle aurait voulu pouvoir oublier les espoirs que ces heures uniques avaient déchaînés en elle.

Elle se coucha de bonne heure et ne put trouver le sommeil, tenaillée par le souvenir obsédant de ce paradis qui, sitôt entrevu, lui avait été interdit à tout jamais.

Le lendemain, après le passage du chasse-neige, ils repartirent pour Santa Fe où Alys savait que des visages amis l'attendaient, qu'elle avait hâte de retrouver. Et malgré l'expression indéchiffrable de Rand, elle aurait juré qu'il ressentait la même chose qu'elle.

Nat et Leila leur firent fête à leur arrivée et les mitraillèrent de questions. Ils durent aller embrasser tante Fran, encore couchée, la rassurer sur leur santé et satisfaire sa curiosité.

– Quel dommage que vous ayez eu une tempête! Mais je suis bien sûre que Rand a parfaitement pris soin de toi, Alys! Avec lui, tu ne risquais rien!

– Non, répondit Alys d'une voix brouillée par le sentiment aigu qu'elle avait de la présence de Rand derrière elle.

Et soudain, elle fut incapable de supporter cela plus longtemps et, sous le prétexte de vouloir prendre un bain, elle s'éclipsa.

– Moi, je dois passer un coup de fil, enchaîna Rand.

A qui avait-il téléphoné? C'était ce qu'elle se demandait, dans l'eau chaude du bain. Sans doute à cette femme dont il avait parlé à tante Fran? Cette seule pensée empêchait presque Alys de respirer malgré sa résolution de se détacher de Rand.

Si ce bain détendit ses muscles douloureux, elle en sortit le cœur toujours aussi meurtri.

Nat l'attendait dans sa chambre, plus jolie et plus sémillante que jamais, en pull turquoise et pantalon de même couleur.

– Dis-moi tout! C'était bien?

– La tempête? s'étonna Alys.

– Mais non! Ne fais pas l'innocente... Je veux parler de ton tête-à-tête avec mon irrésistible cousin, voyons! A-t-il réussi à raviver ta passion? On ne pouvait rêver mieux que cette tempête pour nouer une idylle!

– Ne dis pas de bêtises, Nat! A vingt-quatre ans, j'ai passé l'âge des béguins... D'ailleurs, Rand a quelqu'un dans sa vie.

– Tu veux dire qu'il ne s'est rien passé entre vous? reprit Nat, l'air soudain accablé. Et moi qui vous imaginait filant le parfait amour!... Pourvu que Sabina ne lui mette pas le grappin dessus! Elle l'a demandé au téléphone hier, et je lui ai dit qu'il était avec toi. Je n'ai rien contre elle... tant qu'elle ne devient pas la femme de Rand. Peut-être choisira-t-il cette mystérieuse inconnue? A mon avis, tu restes la mieux placée...

— Mais enfin... arrête de dire n'importe quoi! Si tu continues, je vais être obligée d'épouser Noël pour que tu oublies mes amours d'enfance et que tu cesses de m'en parler tout le temps! Tu rêves, tu sais!

— Oui, je sais. Vous feriez pourtant un couple parfait. Quand je vous vois ensemble, j'ai l'impression que vous êtes faits l'un pour l'autre. Quant à Noël, Leila lui a complètement tourné la tête.

— C'est ce que j'ai remarqué...

— Je trouve ça très bien! J'aime beaucoup Leila. Mais je n'arrive pas à comprendre pourquoi elle tient Noël à distance? Avec lui, elle est soit charmante, soit glaciale...

— Chacun a ses raisons, Nat! Et arrête de jouer les marieuses sous prétexte que la vie t'a comblée!

Elles parlèrent ensuite de la santé de tante Fran. Les antibiotiques avaient écarté tout danger de pneumonie.

— Dis-moi, Alys, demanda Nat, je suis ennuyée de te faire faux bond le soir de ton arrivée, mais je n'ai pas eu un moment avec Jim de tout le week-end, et ce soir, je sors avec lui...

— Je comprends très bien, tu le sais, la rassura Alys.

— Regarde-moi un peu, Alys. Tu es bien pâle et les cernes te mangent les joues! C'est à cause de la tempête ou es-tu en train de tomber malade?

— C'est juste un peu de fatigue. Je vais tâcher de dormir...

Mais au lieu de dormir, elle se maquilla avec soin pour masquer sa mauvaise mine et ses yeux cernés, puis elle descendit au salon. Tante Fran et Nat n'étaient pas encore là. Le père Alonzo parlait avec Leila qui, en longue jupe blanche et corsage de soie noire, était plus séduisante que jamais. Songeant à ses traits tirés, Alys eut un regard d'envie pour le teint éclatant et les cheveux blonds de la jeune infirmière. Noël entra et aussitôt on parla de la tempête.

– J'aurais tellement aimé être bloqué par le mauvais temps avec vous, dit-il en souriant à Leila. Vous n'auriez pu résister à mon charme et maintenant, vous seriez en train de me supplier de vous épouser!

Le rire de gorge de Leila trahit son trouble. Tout le monde se mit à rire avec elle, sauf Rand qui regarda Alys avec compassion. Elle se rendit compte avec désespoir qu'il la plaignait! Il la plaignait parce qu'il croyait qu'elle souffrait de voir Noël faire la cour à Leila! C'était trop bête...

– Vous n'auriez pas été en sécurité avec un sacripant comme Noël, Leila! Vous ne savez pas à quoi vous avez échappé, s'écria Rand.

– Tu es bien sûr qu'elle aurait été plus en sécurité avec toi? demanda Noël d'un ton provocant.

– Je reconnais que les charmes de Leila sont redoutables, reprit Rand. Ils sont capables de faire perdre la tête à l'homme le plus courageux!

Les deux hommes continuèrent ainsi à jeter des fleurs – qui avaient parfois des allures de pavés – à Leila. Alys les observait. Elle se sentait exclue et laissée pour compte et aurait voulu pouvoir disparaître sous terre.

– Je trouve cette discussion vraiment déplacée quand je pense qu'Alys a dû passer le week-end avec Rand, par la force des choses, intervint le père Alonzo.

Rand accusa le coup et rougit violemment. Quant

à Alys, loin de songer à le plaindre, elle était encore plus gênée que lui puisque tout le monde ici ignorait qu'ils étaient mari et femme.

— Je suis de votre avis, père Alonzo, renchérit oncle Stuart. Et je suis certain que Rand s'est conduit en parfait gentleman responsable de la sécurité d'une jeune fille...

Tous les yeux se tournèrent vers Alys qui devint cramoisie. Rand la fixait avec une étrange intensité. Que signifiait ce regard? Allait-il se défendre de l'avoir touchée ou tout avouer? Alys craignit le pire une seconde et se rassura aussitôt. Elle savait que la vérité n'éclaterait que si elle le décidait. C'était elle qui avait voulu le secret, c'était à elle de le dévoiler. Rand avait été très clair, à ce sujet.

— Rand a été irréprochable, en effet, déclara-t-elle vaillamment à oncle Stuart.

— Je n'en doutais pas, dit-il.

— Vraiment? s'exclama Noël. Tu n'en doutais pas?

— Mon fils! se récria le père Alonzo, scandalisé.

Les rires nerveux qui fusèrent détendirent très vite l'atmosphère. Et soudain, la sonnette de la porte d'entrée retentit. Noël se leva et revint tout de suite avec Sabina.

C'était la première fois qu'Alys la revoyait depuis le collège. La robe verte qu'elle portait soulignait les courbes pleines de ses hanches et de sa poitrine et mettait sa silhouette en valeur. Ses cheveux blonds encadraient son fin visage mangé par d'immenses yeux gris. Sa bouche sensuelle s'étira en un sourire lorsqu'elle vit Rand poser son verre pour venir l'accueillir.

— Bonjour, trésor! roucoula-t-elle en lui offrant sa joue. Louisa m'a dit que tu étais rentré au bercail. Je suis venue pour t'inviter... Mère reçoit quelques amis à dîner ce soir, et je voudrais te présenter à l'un d'eux, si tu veux bien être des nôtres?...

– Avec joie! répondit-il en lui prenant la main. Mais assieds-toi un moment! Noël? Tu sers un verre à Sabina?

– Un whisky sans eau..., dit-elle.

Elle entra au salon et fut bientôt devant Alys qu'elle dévisagea avec un intérêt presque gênant.

– Quand je pense que tu étais un squelette ambulant! s'écria-t-elle. C'est que tu t'es bien remplumée!... n'est-ce pas, Rand?

Celui-ci n'était que sourires et attentions pour Sabina.

– Le temps arrange tout, en effet, dit-il d'un air distrait.

– Rarement avec autant de bonheur, répondit Sabina. Dis-moi, comment vas-tu? Il paraît que tu vis à New York, maintenant?

– Oui, et toi? Toujours journaliste à Albuquerque? demanda Alys qui, en dépit de tout, ne pouvait s'empêcher de trouver Sabina sympathique.

– Non! J'ai donné ma démission il y a quinze jours : j'ai des projets..., ajouta-t-elle avec un regard entendu du côté de Rand.

Une vague de jalousie déferla sur Alys, mais déjà, Rand présentait Sabina à Leila, qui lui parut plutôt réticente.

– Sabina Garett... Leila Montgomery...

– Il me semble que nous nous sommes rencontrées quelque part?... Votre visage ne m'est pas inconnu...

– Je ne crois pas, affirma Leila.

– Vous êtes sûre? J'ai pourtant la mémoire des visages, et votre nom me dit quelque chose... Vous n'êtes pas d'Albuquerque, par hasard?

– Non, de Denver.

– Alors, c'est que vous avez un sosie, conclut Sabina. Ou une sœur jumelle?

– Non plus, fit Leila.

Finalement, Rand et Sabina prirent congé sans un regard pour Alys dévorée par la jalousie. Leila les suivit aussi des yeux jusqu'au dernier moment. Elle était d'une pâleur inquiétante. Mais pourquoi donc? Elle flirtait avec Noël et paraissait bouleversée que Rand sorte avec une autre femme... Noël s'approcha d'elle et écarta tendrement une boucle folle qui dansait sur sa joue.

– Vous n'avez pris aucun repos avec la bronchite de maman. Je suis certain qu'Alys et papa feront d'excellents gardes-malade, ce soir, pendant que nous dînerons quelque part tous les deux. Il n'y a pas de raison que Nat sorte et pas vous!

Leila réagit comme si les doigts de Noël avaient brûlé sa joue.

– Laissez-moi tranquille! Je ne veux pas sortir avec vous! s'écria-t-elle, visiblement au bord des larmes.

Puis, devant l'assemblée médusée, elle s'enfuit en étouffant un sanglot. Un instant sans réaction, Noël pâlit brusquement de colère. Il s'apprêtait à se lancer à la poursuite de Leila lorsque son père le retint.

– Laisse-la, mon petit. Elle a le droit de faire ce qu'elle veut et de refuser ton invitation, soupira-t-il avec un regard navré vers le père Alonzo.

Noël sortit sans répondre au moment même où Louisa annonçait que le dîner était servi. Dépêchée auprès de Leila, Louisa revint en disant que la jeune fille ne descendrait pas pour dîner. Alys se retrouva donc seule avec oncle Stuart et le père Alonzo.

Ils passèrent au salon pour le café et, là, oncle Stuart disparut dans son bureau pour un coup de téléphone urgent.

– Tu n'es pas heureuse, n'est-ce pas, mon enfant? demanda doucement le père Alonzo resté seul avec Alys. Tu as perdu cette insouciante gaieté qui réjouissait tout le monde, autrefois.

– On devient plus mûr avec l'âge et les problèmes...

– Ne pourrais-tu te confier à un vieil ami comme moi?

Alys se mordit la lèvre. Oui, elle avait besoin de se confier. Et qui l'écouterait mieux que le père Alonzo, si sage et plein d'expérience? Mais non. C'était inutile. Pour le catholique qu'il était, le divorce était un péché. Or, c'était le divorce que souhaitait Rand, sans se douter qu'Alys ne l'avait jamais autant aimé.

– Je le voudrais bien, mon père, mais je crois que je suis la seule à pouvoir trouver une solution à mon problème, répondit-elle, très émue.

– Quand tu auras mon âge, tu sauras que bien souvent les difficultés s'aplanissent d'elles-mêmes. Mais si, par hasard, tu changeais d'avis et souhaitais me parler, sache que je serai toujours là pour t'écouter.

– Merci, dit-elle avec gratitude. Je m'en souviendrai...

11

Dans le patio où Alys respirait l'air vivifiant du matin, une tasse de café à la main, la neige commençait à fondre. Elle avait mal dormi et souffrait vaguement de migraine. Brusquement, elle rentra dans la maison. Elle en avait assez de cette migraine et de cette tristesse! Après tout, la vie continuait, indifférente aux malheurs et aux misères des humains. Et Alys voulait être vivante!

Tout était calme dans la maison. Nat était partie, avec son père et son frère, pour la galerie où elle tenait les livres de comptes à jour. Ayant accumulé du retard avec la maladie de sa mère, elle devait maintenant mettre les bouchées doubles.

– Je te laisse les clés de ma voiture, avait-elle dit à Alys. Va te promener un peu! Faire des courses, par exemple...

Mais Alys n'avait aucune envie de lécher les vitrines. Elle commençait à trouver ces vacances bien longues.

Leila était en train d'aider tante Fran à faire ses exercices de rééducation. Quant à Rand, il était introuvable. Alys débarrassa la table et transporta la vaisselle sale à la cuisine. En la voyant arriver les bras chargés, Louisa poussa des hauts cris, et abandonna le poulet qu'elle était en train de farcir.

– Je l'aurais fait toute seule, mon petit!

– Ça fait passer le temps! expliqua Alys. Ce doit être pour ça qu'on a inventé le travail!

« ... et pour oublier », ajouta-t-elle en son for intérieur.

– Oh! pour moi, le temps passe trop vite! C'est ce qui arrive quand on vieillit... Je ne suis plus aussi rapide qu'avant, gémit Louisa en hochant la tête, tandis qu'Alys finissait de débarrasser.

Elle la laissa même commencer la vaisselle pendant qu'elle finissait de préparer la farce du poulet. Alys monta ensuite faire les chambres puisque Nat n'avait pas eu le temps de s'en occuper, ce jour-là. Après avoir fait la sienne, celles de Nat et de Noël, elle se dirigea vers la chambre de Rand, avec des draps propres. Elle poussa la porte sans penser un instant qu'il puisse être là. Il était debout près de la fenêtre, torse nu, une chemise à la main. Il regarda Alys avec stupéfaction.

– Excuse-moi, j'étais certaine que tu étais sorti...

– Je suis monté me changer. On dirait que le temps se réchauffe?

– Oui, reconnut-elle, le cœur battant et se demandant si elle devait partir ou non.

Avant qu'elle ait pu en décider, il était devant elle, et la vision de son torse nu et musclé la troubla, la laissant sans volonté et complètement à sa merci.

– Tu n'as pas l'air en forme, ce matin? s'inquiéta-t-il.

– Non, avoua-t-elle, surtout à côté de l'entrain de... de Sabina ou de Leila, que tu admirais tellement, hier soir...

Il haussa les sourcils avec un sourire narquois.

– Tu veux que je te dises à quel point je te trouve belle?

– Bien sûr que non. Je ne te demande pas de me mentir!

– C'est pourtant ce que nous n'arrêtons pas de faire, lui fit remarquer Rand, songeur.

– Je ne comprends pas ce que tu veux dire...

– Je disais simplement que tu n'avais pas l'air en forme. Mais pas du tout... Tu ne serais pas malade, par hasard? demanda-t-il en suivant du bout des doigts les cernes qui soulignaient les yeux d'Alys.

Elle écarta cette main trop caressante.

– Je vais très bien.

– Alors, comment expliques-tu ces yeux battus? Que tu avais déjà hier, d'ailleurs.

– Ce doit être à cause du manque de sommeil.

– Vraiment? Tu as pourtant dormi à poings fermés la nuit de la tempête, lui rappela Rand cruellement.

– Tu es bien mesquin d'y faire allusion, dit Alys en rougissant.

Elle avait terriblement honte d'avoir répondu à son ardeur amoureuse avec autant de fougue et d'abandon, depuis qu'elle savait qu'il ne voulait plus d'elle.

– C'est possible, admit-il avec cette moue qu'il faisait parfois et qu'elle détestait. Mais je m'en vais. Je te laisse faire le ménage.

Au moment d'ouvrir la porte, il se retourna et ajouta perfidement:

– C'est le remords qui t'empêche de dormir. Et tu passeras des nuits blanches tant que tu n'auras pas dit la vérité. Tu n'es pas cachottière et tu souffres de devoir vivre dans le mensonge. Voilà ce que je pense.

Sur ces mots, il sortit. Alys s'activa aussitôt, ce qui ne l'empêcha pas de se dire que Rand avait en partie raison. Son secret lui pesait, en effet. Cependant, elle ne pouvait se résoudre à le divulguer. Rand non plus, d'ailleurs. Elle avait la certitude qu'il aurait été horrifié à l'idée que Leila et Sabina puissent apprendre qu'il était marié. Malgré cela, il lui répétait que c'était son secret à elle et qu'elle en était coupable. Heureusement qu'il ne se doutait pas que les insomnies dont elle souffrait étaient dues à son amour pour lui... sinon, ses sarcasmes auraient été sans fin. Il aurait saisi toutes les occasions de lui rappeler qu'elle avait préféré sa propre carrière à celle de son mari s'il avait su que les rôles étaient inversés... Car cette même femme à qui il avait reproché de manquer d'amour, l'aimait aujourd'hui sans espoir de retour.

Lorsque Alys redescendit, Rand était parti. Leila vint la rejoindre au salon où elle redressait les coussins du canapé.

– Mme Taylor aimerait que nous déjeunions avec elle, puisque nous ne serons que toutes les trois à midi.

Alys se déclara enchantée et alla faire un brin de toilette avant de retrouver tante Fran, assise dans son lit, un plateau sur les genoux. Leila et Alys s'installèrent à une petite table près de la fenêtre qui donnait sur le patio. Le soleil inondait la pièce.

Elles parlèrent de tout et de rien en évitant soigneusement les sujets épineux. Leila était très pâle et plus taciturne que d'habitude. Mais tante Fran, bien remise de sa bronchite, ne fit pas de remarques sur le manque de gaieté de ses compagnes.

– Je me sens encore très faible et j'ai terriblement sommeil, se plaignit-elle à la fin du repas.

– C'est tout à fait normal, avec les médicaments que vous prenez, expliqua Leila. Encore quelques jours et vous vous sentirez mieux.

– Alys, je ne t'ai pas beaucoup vue ces derniers temps. Viens me voir après la sieste et nous parlerons toutes les deux, ajouta tante Fran.

– Oui. Repose-toi bien d'abord, répondit Alys affectueusement.

Elle quitta la pièce et porta la vaisselle à la cuisine, mais Louisa la mit dehors lorsqu'elle fit mine de vouloir la laver.

L'après-midi promettait d'être interminable avec, comme seule perspective, l'entretien promis à tante Fran. Irait-elle faire des courses avec la voiture de Nat? Non, elle n'en avait ni l'envie ni le besoin. Elle renonça également à faire la sieste, sachant qu'elle ne trouverait pas le sommeil. Et en désespoir de cause, elle alla au bureau pour y choisir un livre. Elle trouva les chefs-d'œuvre de la littérature classique, des recueils de poésie et des livres d'histoire, mais pas un seul roman d'amour ou d'aventures. Finalement, elle se décida pour une monographie sur l'art indien qu'elle feuilleta distraitement. Elle allait le remettre en place et appeler Cal à l'agence, quand la porte s'ouvrit sur Leila qui marqua une légère hésitation en voyant Alys.

– Je vous dérange? s'excusa-t-elle.

– Au contraire! Je commençais à m'ennuyer ferme. Entrez donc.

Leila s'assit dans le fauteuil de cuir qui faisait face à celui où Alys s'était installée. Cette dernière se rendit alors compte que l'infirmière avait pleuré. Elle respecta son émotion et attendit qu'elle parle la première.

– Je me suis donnée en spectacle, hier soir. J'ai mis tout le monde dans l'embarras... surtout Noël...

– Ce sont des choses qui arrivent, répondit Alys avec gentillesse. Je suppose que vous aviez vos raisons, mais j'ai bien vu qu'en effet le coup a été rude pour Noël. Il est très sensible sous ses airs légers et insouciants.

– Je sais, répondit Leila en fixant ses mains croisées sur ses genoux.

Le silence retomba tandis qu'Alys cherchait désespérément quoi dire sans blesser la jeune fille.

– Puis-je vous aider en quoi que ce soit? dit-elle enfin.

Leila releva la tête, apparemment moins bouleversée mais toujours aussi triste.

– Les Taylor sont des gens fiers, n'est-ce pas? demanda-t-elle subitement.

– Oui... je le crois! fit Alys, un peu décontenancée. Tante Fran a du sang espagnol dans les veines. Elle s'enorgueillit de compter parmi ses ancêtres des hommes qui ont fait l'histoire de cet Etat. Elle-même jouait un rôle non négligeable dans les destinées de cette ville jusqu'à son attaque. Oncle Stuart, lui, était d'une riche famille de Boston. Et c'est aussi une référence!

– Vous avez dit... « était »?

– Oui. Il est très indépendant et, très jeune, il a coupé les ponts avec sa famille pour aller vers l'Ouest. Il a travaillé dans des ranches pour se payer le voyage et, lorsqu'il est arrivé au Nouveau-Mexique, il a décidé d'y rester et d'y fonder une famille. Comme le montre bien sa bibliothèque, c'est un homme qui se passionne pour l'histoire et pour l'art. Voilà pourquoi il s'est tout naturellement tourné vers la peinture. Il doit sa renommée, aujourd'hui internationale, à la qualité des œuvres qui passent entre ses mains...

– L'idée d'une tache ou d'une souillure doit leur être odieuse?

– Sans doute, mais que voulez-vous dire exactement?

– Eh bien... s'ils apprenaient quelque chose au sujet de... Jim Madden, par exemple, ou plutôt de sa famille... quelque chose de pas très reluisant ni très

110

honorable, même s'il s'agissait d'une injustice, continua Leila d'une voix soudain blanche. Dès cet instant, il ne serait plus un gendre aussi acceptable à leurs yeux?...

– Il est difficile de répondre à leur place, mais à mon avis, cela ne changerait pas grand-chose. Ils n'aiment pas les coups fourrés, c'est certain, assura Alys en pensant avec horreur à son secret. Ils n'apprécieraient sûrement pas qu'on leur ait caché un mariage, une séparation ou un divorce... Mais quel est le rapport avec ce qui s'est passé hier soir?

L'infirmière haussa les épaules d'un air abattu.

– Eh bien... il vaudrait mieux que Noël ne s'intéresse pas trop à moi. Mais je parle... je parle trop...

Alys la considéra avec étonnement et lui demanda tout de go :

– Auriez-vous quelque chose à cacher aux Taylor?

Leila s'empourpra.

– Je ne tiens pas à ce que vous alliez raconter des histoires à Nat, à Mme Taylor ou, pourquoi pas, à Noël! répliqua-t-elle fermement.

– Je ne suis pas comme ça, fulmina Alys indignée. Et d'ailleurs, que pourrais-je leur dire? Que vous avez quelque chose à cacher? Mais tout le monde a ses petits secrets, vous savez.

– Alors, vous aussi...

Alys acquiesça, les yeux fixés sur Leila.

– Ecoutez, Leila, vous m'avez simplement laissé entendre qu'il y avait dans votre vie quelque chose que vous ne teniez pas à faire savoir. Très bien. Cela ne me regarde pas, ni moi ni les Taylor. On vous apprécie dans cette maison, non seulement en tant qu'infirmière mais aussi en tant qu'individu. C'est l'essentiel, non?

– Oui, bien sûr. Mais je me demande si cela durerait s'ils apprenaient la vérité...

– Comment pourrais-je vous répondre? Je crois comprendre que nous sommes toutes les deux dans le même cas. C'est tout ce que je peux vous dire... Nous avons chacune notre secret.

Leila se leva et vint serrer très fort la main d'Alys.

– Merci, murmura-t-elle.

– Et de quoi, mon Dieu?

– De m'avoir écoutée, et de garder cela pour vous. Vous êtes une chic fille, Alys, dit-elle avant de quitter le bureau.

Alys médita un long moment sur les paroles de la jeune infirmière. Ce secret ressemblait-il au sien? Une chose était certaine : elle ne voulait pas que Noël s'attache à elle. Mais était-elle amoureuse de lui? Elle fut tentée de courir lui dire d'avoir confiance en lui, puis elle se ravisa. Comment oserait-elle donner des conseils aux autres alors qu'elle était incapable de régler ses propres problèmes? De plus, elle ignorait ce que Leila tenait à cacher, et ne pouvait prévoir la réaction de Noël... Elle le croyait capable de n'écouter que son amour, mais si elle se trompait, Leila risquait sa place. Alys décida de ne pas se mêler du secret de Leila. Elle avait bien assez de tourments avec le sien... D'ailleurs, il était temps de monter chez tante Fran.

Alys la trouva reposée par la sieste. Elle s'assit près d'elle, au bord du lit.

– Comment s'est passé cet après-midi, ma chérie? Nat ne t'a pas trop manquée?

– Non, j'ai bavardé un moment avec Leila.

– Quelle jeune fille délicieuse! dit aussitôt tante Fran en souriant et en articulant comme jamais encore depuis qu'Alys était là. Pourtant, je n'avais pas caché à Stuart que l'idée d'avoir quelqu'un en permanence autour de moi me déplaisait souverainement. C'est ruineux et le plus souvent désagréable. Mais Leila m'a séduite. Je l'aime comme ma propre fille... et elle va beaucoup me manquer quand elle partira.

– J'en suis sûre, mais songe quel bonheur ce sera de pouvoir reprendre toutes tes activités et tes réunions! C'est surtout ça qui doit te manquer?

– Enormément. Cependant, je ne sais pas si je reprendrai toutes mes responsabilités... Mais c'est pour toi que je me tracasse, ma petite Alys. Qu'est-ce qui te retient donc à New York, si loin de nous?

– L'agence, tante Fran. La passion de mon métier.

– Qu'est-ce qui t'empêche de l'exercer ici? A Albuquerque, par exemple, si tu ne veux pas travailler à Santa Fe. Et nous pourrions te voir plus souvent...

– Je le voudrais bien, tu le sais, mais d'un autre côté, je suis heureuse à New York. Et puis j'ai les Borden, je ne suis pas seule là-bas...

– Rien ne remplace son foyer, déclara tante Fran. Je me fais également du mauvais sang pour Rand, exilé loin de nous, lui qui a un sens si fort de la famille. Si seulement il était marié, il se sentirait moins seul, tu ne crois pas?

Les doigts d'Alys se crispèrent sur le couvre-lit et elle devint aussi blanche que les draps.

– Que se passe-t-il, ma chérie? Comme tu es pâle, tout d'un coup...

– Je... je ne me sens pas très bien, reconnut Alys faiblement.

– Va t'allonger un moment. Pourvu que tu n'aies pas attrapé ma bronchite!

– Non, non... Je me sens déjà mieux.

— Va quand même te reposer, insista tante Fran.

— Si tu veux, concéda Alys, qui savait bien que le repos ne guérirait pas le mal qui lui rongeait le cœur.

Elle se leva et quitta la chambre. Lorsqu'elle eut refermé la porte derrière elle, elle s'appuya contre le battant, s'efforçant de maîtriser les battements de son cœur. Le seul mot de « mariage » à propos de Rand avait suffi à la bouleverser. Comment, dans ces conditions, surmonterait-elle l'épreuve du divorce et du remariage de Rand?

Submergée par une émotion trop forte, elle se dirigea vers sa chambre, craignant qu'on ne la surprenne en larmes, et se heurta à une solide poitrine qu'elle reconnut immédiatement.

Rand lui barrait le passage. L'enveloppant de ses bras, il la regarda d'un air interrogateur.

— Qu'est-ce que tu as?

— Rien! haleta-t-elle au bord des sanglots.

— Je veux savoir ce que tu as, insista-t-il, implacable, en resserrant l'étau de ses doigts. C'est tante Fran qui t'a mise dans cet état? Ça ne lui ressemble pas mais je peux aller le lui demander...

— Elle ne l'a pas fait exprès, admit Alys. N'en parlons plus, s'il te plaît... S'il te plaît, implora-t-elle.

Il la dévisagea puis, comprenant peut-être à son expression qu'elle avait désespérément besoin d'être seule, il la laissa partir.

— Très bien, Alys, n'en parlons plus.

12

Alys resta dans sa chambre jusqu'à 6 heures. Cédant à l'épuisement, elle s'était endormie et s'éveillait délivrée de sa migraine. Comme elle se levait, on frappa à sa porte et la tête de Nat apparut dans l'entrebâillement.

– Je peux entrer?

– Bien sûr! répondit Alys en s'étirant. Tu me prends au saut du lit!

– Comment te sens-tu? Maman m'a dit que tu as eu un malaise?

– Rien de grave. Je suis navrée de l'avoir inquiétée pour si peu de chose. J'irai la rassurer avant le dîner. Et ta journée?

Nat fronça le nez et s'assit dans un fauteuil.

– Je n'ai pas arrêté! Et travailler avec Noël n'a pas été facile! Il avait tout d'un vieil ours grognon, aujourd'hui. Papa m'a raconté la scène avec Leila. Et mon cher frère n'a pas cessé d'être d'une humeur massacrante. J'ai croisé Leila tout à l'heure... Elle non plus n'a pas l'air en forme. Que s'est-il passé?

– Noël a invité Leila à dîner et elle a refusé avec violence. Voilà. Mais vous? Vous vous êtes bien amusés?

– On a passé une soirée formidable. On ne se bagarre jamais avec Jim, tu sais, ou si peu! Mais là n'est pas la question. Je veux avoir le fin mot de cette histoire entre Leila et Noël. Maman n'est au courant de rien, naturellement, mais elle m'a dit que tu avais bavardé avec Leila aujourd'hui. A-t-elle fait allusion à ce qui s'est passé hier?

— Elle s'est rendu compte de l'effet produit, dit Alys après avoir hésité.

— Elle n'a pas donné d'explication? insista Nat que les réponses évasives d'Alys impatientaient. Alors, de quoi avez-vous parlé?

— De choses et d'autres. Je la connais à peine et elle n'a aucune raison de me faire ses confidences.

— Evidemment, reconnut Nat. Tout de même... c'est enrageant, cette histoire! J'ai beaucoup d'affection pour Leila, mais je déteste qu'elle fasse souffrir mon frère ou qu'elle le mette dans l'embarras. Car il souffre! Je sais qu'il l'aime...

— Oui, et c'est terrible de souffrir d'amour...

— Tu en sais quelque chose, n'est-ce pas? murmura Nat.

— En effet, reconnut Alys en accusant le coup. J'ai souffert.

— Par qui? Et pourquoi?

— Je n'ai pas envie d'en parler, même avec toi, Nat, dit-elle en secouant la tête. Je ne peux pas.

— Je comprends. Peut-être est-ce mieux ainsi... Ça me fait vraiment de la peine pour toi. Je voudrais tellement que tu sois aussi heureuse que moi avec Jim. Et Noël aussi... On dirait qu'il n'y a que Jim et moi qui soyons heureux!

« Et Rand, songea Alys. Une simple formalité le sépare maintenant du bonheur de vivre avec celle qu'il aime... »

— Si tu tiens à Jim, Nat, ne laisse jamais rien se mettre en travers de votre chemin, s'écria-t-elle avec une véhémence soudaine. Jamais, tu entends? Jamais! C'est trop bête!

Nat la regarda longuement puis sortit sans ajouter un mot. Alys mit son ensemble rouge et constata que la sieste lui avait donné meilleure mine. Elle prit son alliance, qu'elle avait laissée dans son coffret à bijoux ces derniers jours, la garda un instant rêveusement au creux de sa main, puis la glissa sur la chaîne qu'elle attacha autour de son cou. L'anneau retrouva sa place entre ses seins, et elle s'en voulut d'en adorer la caresse sur sa peau. De retour à New York, elle porterait son alliance à son doigt jusqu'à ce que le divorce soit prononcé. En attendant, il fallait aller rassurer tante Fran sur sa santé.

– Ce rouge te va à ravir, ma chérie. C'est une couleur difficile à porter, mais elle te rajeunit encore et te donne l'air... énergique!

– Merci, tante Fran! Toi aussi, tu es en beauté, ce soir. Tu sais que tu as repris des couleurs? Je suis sûre que tu vas guérir bientôt.

– Je le crois aussi. Leila pense même que je pourrai rester plus longtemps au salon, après dîner.

– Ça, c'est une bonne nouvelle! dit Alys en l'embrassant. Il faut que je me sauve, maintenant. On ne va pas tarder à passer à table.

Tout le monde prenait l'apéritif au salon. Rand accueillit Alys avec un verre de limonade.

– Tu te sens mieux? chuchota-t-il de façon à ce que personne ne l'entende, lui qui était le seul à savoir que son malaise n'était pas physique.

– Je vais bien.

– Ce chagrin est fini?

Elle secoua la tête comme pour échapper à son regard inquisiteur. Rand portait une chemise bleu ciel, sans cravate, et un cardigan anthracite assorti au gris de son pantalon. Des reflets argentés jouaient dans ses cheveux épais : Alys serra son verre à deux mains tant elle avait envie de les toucher. Mais elle ne voulait à aucun prix que Rand sache quel effet il lui faisait.

– Je meurs de faim, s'exclama-t-elle avec une désinvolture feinte qui dut donner le change car Rand lui sourit.

Ils rejoignirent les autres avant de passer à table. Louisa avait préparé un excellent repas mexicain qui se déroula cependant dans une ambiance de gêne et de malaise. Comme Jim devait arriver plus tard, Nat était privée de son interlocuteur favori. Assise à côté de Rand, Alys était contractée. Quant à Noël, à l'habitude boute-en-train infatigable et voisin de table plein d'esprit, il se cantonnait dans un mutisme boudeur face à Leila, pâle et défaite.

Nat fit tous les frais de la conversation, secondée par son père et, à l'occasion, par Rand. Elle parla du temps, persuada oncle Stuart d'exposer les œuvres d'un jeune peintre découvert par Noël, et s'enthousiasma pour les progrès de sa mère.

Mais tout le monde respira quand on passa au salon.

– Tu as failli retrouver un cadavre mort d'ennui, mon chéri! déclara Nat à Jim lorsqu'il arriva. Ils font tous des têtes d'enterrement!

– Tu exagères! protesta Jim en l'entraînant vers le canapé, un bras autour de sa taille.

Elle l'embrassa en guise de réponse.

– J'ai idée que Nat règle ses comptes en public! s'écria Rand. Noël, fais donc boire ce jeune homme! Je me charge de mettre un peu d'ambiance. C'est sinistre, ici!

Il choisit une cassette de musique douce et s'inclina devant Nat.

– M'accorderez-vous cette danse, belle cousine? Voyons si nous pouvons dégeler un peu l'atmosphère...

Alys préféra se plonger dans un magazine sans intérêt plutôt que de voir le couple évoluer. Elle était jalouse, même de Nat... Noël discutait avec Jim et Leila contemplait obstinément le feu, assise près de la cheminée. Quand Nat revint auprès de son fiancé, Noël se précipita vers Alys.

– Que dirais-tu d'aller au cinéma avec moi, trésor?

Les yeux de Noël exprimaient une prière muette mais Alys sentait un autre regard peser sur elle – un regard plein de colère – et ce fut cette lueur sombre dans les yeux de Rand qui la décida à accepter l'offre de Noël. Pourquoi rester ici si c'était pour subir sa haine et ses reproches? Il était bien sorti avec Leila et Sabina, lui! Il ne voulait plus d'elle mais il ne supportait pas qu'un autre homme la regarde! Cela n'avait aucun sens. Elle en avait assez et elle allait lui prouver sur-le-champ que ce qu'il pensait n'avait plus d'importance pour elle.

– Volontiers! dit-elle à Noël avec son sourire le plus dévastateur.

– Merci, lui chuchota Noël à l'oreille avant d'ajouter à haute voix : Je sors la voiture pendant que tu t'habilles!

Leila lança à Alys un regard qui en disait long sur la détresse et la haine mêlées qu'elle ressentait. Alys pressa le pas. Pourquoi Rand et Leila étaient-ils dans cet état? La jeune femme ne lui avait-elle pas clairement dit qu'elle ne voulait pas que Noël s'attache trop à elle? Sa colère n'était pas justifiée, surtout après la scène qu'elle avait faite la veille à Noël.

Un rapide coup de peigne, une touche de rouge à lèvres... elle était prête. Elle ne se méprenait pas sur les intentions de Noël. Il voulait simplement sauver la face et montrer à Leila qu'il pouvait se passer d'elle. Quant à Alys, elle faisait d'une pierre deux coups : elle échappait à la présence étouffante de Rand et allait passer une agréable soirée en compagnie de Noël.

Elle prit effectivement du bon temps. Ils virent un film gai en se gorgeant de pop-corn, la main dans la main.

Ils allèrent ensuite dans une discothèque où la sono assourdissante les empêcha de penser. Alys but du Coca-Cola et Noël, une vodka-orange. Puis ils dansèrent et il retrouva sa bonne humeur, faisant mille plaisanteries, pour la plus grande joie d'Alys, contente de retrouver le charmant compagnon d'antan. Elle n'osa pourtant pas lui demander pourquoi il y avait tant de tristesse au fond de ses yeux.

Il n'avait pas l'air pressé de rentrer bien qu'il travaillât le lendemain. Sans doute voulait-il retarder le plus possible le moment où il devrait à nouveau affronter son tourment.

D'une certaine manière, il souffrait autant qu'Alys.

Finalement, ils quittèrent l'atmosphère enfumée du night-club et sortirent, heureux de respirer l'air frais.

– Quelle bonne soirée ! Merci d'avoir accepté mon invitation, Alys, lui dit-il en conduisant.

– C'est à moi de te remercier, répondit-elle avec chaleur.

– Quel dommage que nous ne soyons pas amoureux l'un de l'autre ! Nous ferions un couple idéal...

– Oui, c'est dommage, déplora Alys. Malheureusement, l'amour ne va pas forcément de pair avec l'amitié...

– L'amour frappe à l'aveuglette et si le hasard fait mal les choses, il ne reste qu'à souffrir en silence.

Il mit la voiture au garage. En rentrant, ils trouvèrent Rand au salon, assis près du feu, dans la pénombre. Dès qu'il les vit, il se leva pour aller à leur rencontre.

– Tu n'es pas encore couché? s'étonna Noël. Tout le monde dort à une heure pareille!

– Il est très tard, c'est vrai.

– Ne me dis pas que tu nous a attendus comme un papa qui se fait du souci pour sa fille? ironisa Noël tandis qu'Alys rougissait et que Rand se rembrunissait à vue d'œil. L'époque où tu jouais les grands frères est révolue, mon vieux! On a grandi!

– Ce n'est pas pour vous attendre que je suis resté en bas, répondit Rand posément. Je n'avais pas sommeil. J'ai pris un livre. Il y a du chocolat chaud, si vous voulez...

– Pas pour moi, merci, dit Noël en réprimant un bâillement. Bonsoir, je vais au lit!

Alys accepta la tasse de chocolat que Rand lui servit pendant qu'elle défaisait son manteau.

– Tu nous attendais, n'est-ce pas?

– Evidemment. Le film était bien?

– Formidable! dit-elle en buvant une gorgée.

– Vous êtes allés danser, après? demanda-t-il sans la quitter des yeux.

– Oui.

– Il est 2 heures du matin! Veux-tu me dire ce que tu as fait d'autre que danser pendant tout ce temps, avec Noël?

Elle reposa sa tasse avec une telle violence que le chocolat se renversa dans sa soucoupe.

– Qu'est-ce que tu insinues?

– Tu le sais mieux que moi!

– Tu es ignoble.

Elle leva le bras pour le gifler mais il lui saisit le poignet avant qu'elle ait pu le faire.

– Je te déteste!

– Aucune importance! laissa tomber Rand. Tout

ce que je veux, c'est que tu me dises ce qui s'est passé entre vous.

– Ça ne te regarde pas! Je ne te le dirai pas!

– Tu es amoureuse de lui?

– Je te répète que ça ne te regarde pas! Ma vie ne concerne que moi, maintenant, dit-elle en s'efforçant de ne pas crier.

– Je suis ton mari et j'ai ce droit!

– Non!

Elle essaya de dégager son poignet mais les doigts de Rand se refermèrent encore plus cruellement sur sa peau.

– Nous allons divorcer, continua-t-elle cependant, et je n'ai plus de comptes à te rendre sur ma vie sentimentale. Je ne te demande pas si tu es amoureux de Sabina ou de cette femme dont tu as parlé à tante Fran! J'ai pourtant autant le droit de savoir que toi! Lâche-moi, maintenant, Rand! Lâche-moi!

Il plongea son regard au fond de ses yeux comme s'il voulait percer son âme.

– Si tu es amoureuse de Noël, dit-il plus posément, apprête-toi à souffrir cruellement. Il n'est pas très... constant. Tu as dû t'apercevoir qu'il s'intéresse à Leila autant qu'à toi? Il n'est pas assez fidèle pour faire un bon mari. Mais il y a plus grave : les Taylor ne verront pas d'un bon œil que leur fils épouse une femme divorcée. Ce sont des catholiques fervents, ne l'oublie pas! A moins, bien sûr, que tu ne décides de leur cacher aussi ce mariage?

Ces paroles firent à Alys l'effet d'une gifle. Il osait insinuer qu'elle pourrait cacher la vérité à un homme dont elle souhaiterait devenir l'épouse!

– Tu fais beaucoup d'hypothèses, toutes aussi fausses les unes que les autres, Rand. A vrai dire, la vie conjugale avec toi m'a laissé un tel goût de fiel que je ne me remarierai sans doute jamais! Et je ne garderai de toi que de mauvais souvenirs.

Il eut un sourire peu engageant.

— Alors, rien ne pourra modifier l'opinion que tu as de moi?

— Ça m'étonnerait, en effet...

— Un souvenir de plus ne peut pas faire de mal, dans ces conditions.

Avant qu'Alys ait pu réagir, il l'attira brutalement contre lui et l'enveloppa de ses bras.

Ses lèvres forcèrent sa bouche en un baiser violent. Tout en la maintenant sans peine contre son corps musclé, il se mit à explorer celui d'Alys d'une main experte, lui caressant la poitrine et pressant ses hanches contre les siennes. Sa bouche descendit plus bas vers sa gorge puis entre ses seins. C'était une agression en règle qui n'avait rien à voir avec l'amour. Un instant pétrifiée, Alys réagit en se débattant. Mais la passion de Rand ne fit que redoubler tandis qu'elle lui martelait en vain le torse et qu'elle tentait de lui dérober sa bouche.

Soudain, il l'éloigna de lui aussi brutalement qu'il l'avait enlacée.

— Disparais de ma vue! dit-il, haletant. Bonne nuit, madame Sheffield!

13

Depuis la fenêtre de sa chambre, Alys vit Rand traverser le patio, puis elle entendit démarrer sa voiture, et elle se sentit mieux. Comme elle se retournait vers le miroir, elle constata qu'elle avait les traits tirés et le teint pâle. En une semaine et demie, le manque de sommeil avait ravagé son visage et ses nerfs. Jamais elle n'avait eu aussi mauvaise mine sinon peut-être pendant les semaines qui avaient suivi le départ de Rand pour l'Arabie Saoudite et leur séparation.

Que signifiait la conduite de Rand? Soudain presque fou de rage, il l'avait pratiquement violée après l'avoir accablée de sarcasmes. Elle en avait encore les lèvres toutes meurtries et elle frémit rétrospectivement en songeant à la sauvagerie de ses baisers. C'était à n'y rien comprendre...

Elle retrouva Nat en train de boire une seconde tasse de café.

– Bonjour! Alors, tu as passé une bonne soirée avec Noël? demanda-t-elle joyeusement.

– Excellente! répondit Alys en s'attablant devant un solide petit déjeuner.

– Il paraît que vous avez dansé jusqu'à 2 heures du matin?

– Mais oui!

– Ça explique la mine que tu as ce matin. Toi, tu n'as pas assez dormi!

– C'est possible, mais tu sais, j'ai vraiment passé une soirée formidable!

– Si tu avais vu la tête de Leila quand elle vous a vus partir ensemble! Aussitôt après votre départ, elle est montée dans sa chambre. Et ce matin au petit déjeuner, Noël et elle se sont boudés. A force de le voir être aux petits soins pour toi, elle finira peut-être par s'amender? Alors, ils pourront vraiment se retrouver.

– Tu es une incorrigible marieuse, Nat! Mais je ne veux pas que tu me mêles à cette histoire, tu entends?

– Je croyais que tu étais sortie avec mon frère pour rendre Leila jalouse...

– Absolument pas! s'indigna Alys. Je l'ai fait pour que Noël ne perde pas la face.

« Et pour sauver la mienne, aussi », pensa-t-elle. Malheureusement, cela n'avait pas eu l'effet escompté sur Rand. Il avait parlé de cette soirée avec Noël en termes si méprisants qu'il l'avait transformée en épisode douteux et équivoque. Qui plus est, il avait accusé Noël de ce que lui avait fait subir à Alys!

Nat, qui avait décidé de ne pas aller à la galerie, monta voir sa mère en compagnie d'Alys. Elles devaient déjeuner avec des amies de collège.

Alys se réjouissait de ce répit loin de Rand et, dans la voiture, elle décida de le chasser de son esprit. Après tout, elle était en vacances et méritait bien de s'amuser un peu avant de reprendre le travail.

Le déjeuner se passa le mieux du monde. Kathy Anderson et Susan Peters n'avaient pas changé, bien que mariées l'une et l'autre. Susan avait même un petit garçon de deux ans. Il y eut autant de rires et de papotages que dans le temps, avec toutefois un moment de gêne lorsque Alys dut donner des détails sur sa vie sentimentale et expliquer pourquoi elle ne se décidait pas à se marier. Elle s'en tira par une plaisanterie et on parla d'autre chose.

Nat et Alys passèrent le reste de l'après-midi à courir les magasins.

— Tu es toujours aussi folle de vêtements?

— Oh, oui! s'exclama Nat. Tu as de la chance d'habiter New York! Tu peux suivre la mode, au moins. Mais ici! Jim, qui ne gagne pas beaucoup d'argent, m'a déjà prévenue : quand nous serons mariés, il va falloir que je me restreigne. Et je sens que ça va être difficile! conclut-elle en regardant avec convoitise des chemisiers de soie.

— Jim a raison. Tu es une enfant trop gâtée. Ton père n'a jamais rien su te refuser. A voir tes penderies, il est temps que tu mettes un frein à tes folles dépenses...

— Je ferai attention, tu verras ça. Mais regarde cet adorable petit corsage. Est-ce qu'il n'est pas joli?

— Le prix l'est moins, et il n'est jamais trop tôt pour bien faire, objecta Alys, scandalisée par le chiffre inscrit sur l'étiquette.

— Mais je n'ai plus rien à me mettre! gémit Nat.

— Si! Du plomb dans la tête.

— Rabat-joie! Tu es la modération faite femme. Tu feras la fierté de ton mari avec ton esprit d'économie!

Alys sentit le remords l'envahir. Elle était bien loin d'avoir fait la fierté du mari qu'elle avait déjà, et elle avait toutes les peines du monde à se détacher de lui dans sa chair et dans son cœur. Lorsqu'elle y parvenait un peu, les autres se chargeaient de lui rappeler indirectement son existence.

Alys passa l'heure qui la séparait du dîner dans sa chambre, afin d'éviter la moindre occasion de rencontrer Rand. A table, la présence des Taylor la protégerait de ses sarcasmes et de ses méchancetés.

Ses craintes étaient superflues. Rand ne dînait pas à la maison. Sans doute était-il avec Sabina... Et Alys se surprit à regretter son absence en dépit de son odieuse conduite de la veille. Elle l'aimait vraiment de toute son âme et souffrait les affres de la jalousie, alors qu'elle aurait dû le haïr. Quant à Noël et Leila, ils continuaient à s'ignorer. Du moins en apparence.

Tante Fran put rester au salon une heure ou deux et chacun se mit en quatre pour lui faire plaisir. Alys lui apporta une tasse de café, Nat lui remonta ses oreillers pour qu'elle soit installée au mieux, et Noël vint s'asseoir à côté d'elle en lui tenant la main, sous le regard attendri d'oncle Stuart, heureux de voir sa femme se rétablir. Puis Leila la raccompagna à sa chambre et oncle Stuart alla se coucher. Nat et Jim prirent possession du canapé et se mirent à parler d'une émission de télévision qu'ils voulaient regarder. Noël proposa une promenade en voiture à Alys qui déclina l'invitation en étouffant un bâillement.

— Je me suis déjà couchée tard hier, et j'ai du sommeil en retard, lui dit-elle, consciente de la jalousie presque palpable de Leila et de l'espoir de Nat qui souhaitait la voir accepter. Invite donc Leila, suggéra-t-elle à Noël tout bas.

— Tu veux rire? grommela-t-il. Je n'ai pas envie de me faire envoyer au diable une deuxième fois!

— De toute façon, moi, je vais me coucher, décréta Alys en les quittant.

Que faisaient Noël et Leila face à Nat et Jim qui ne pensaient qu'à roucouler en amoureux comblés? C'était ce qu'elle se demandait en se glissant entre les draps.

Elle dormit profondément et s'éveilla tout heureuse de voir que le soleil inondait la pièce. Nat lui avait laissé les clés de sa voiture et elle décida d'en profiter pour passer la journée avec Susan qui l'avait invitée. Elle serait ainsi loin de Rand et ne risquerait pas de le rencontrer au détour d'un couloir. A moins qu'il ne soit sorti, lui aussi...

Après avoir pris une tasse de café et un petit pain, elle alla voir quel temps il faisait dans le patio. La température était délicieuse. La neige avait fondu, la journée promettait d'être belle, et Alys eut envie de faire une longue promenade à pied avant de téléphoner à Susan pour décider avec elle de ce qu'elles feraient.

Brusquement, elle eut conscience de n'être plus seule. Quelqu'un l'observait... Effectivement, Rand était à l'entrée du garage et la regardait gravement. Elle voulut battre en retraite, mais il fut le plus rapide et s'interposa entre elle et la porte.

– Laisse-moi passer! lui dit-elle les dents serrées.

– Pas avant de t'avoir dit ce que je pense.

– Je ne vois pas ce qui pourrait m'intéresser venant de toi, répliqua-t-elle sans le regarder.

– Tu vas quand même m'écouter, s'obstina-t-il. Je veux m'excuser de... t'avoir traitée ainsi... J'ai perdu la tête et j'ai fait et dit des choses impardonnables...

Levant les yeux vers lui, elle vit qu'il était sincère. Le manque de sommeil avait ciselé de fines rides autour de ses yeux et de sa bouche. Son amour la trahit et elle se sentit à nouveau assaillie par le désir. Elle avait terriblement envie de caresser son visage, sa bouche. Et elle n'en avait plus le droit. Désormais, ce serait le privilège d'une autre femme.

– Alors? s'impatienta Rand, agacé par son silence.

– Alors quoi?

– Tu me pardonnes?

– Oui, répondit-elle. Mais dis-moi, Rand... tu vas bien? Tu as l'air fatigué, malade...

– Ça se voit tant que ça? C'est à cause de toi si j'ai mal dormi ces deux dernières nuits, dit-il avec un sourire un peu embarrassé devant l'air surpris d'Alys. Tu semblais tellement choquée et horrifiée l'autre nuit, que je me suis fait l'effet d'être un monstre... J'ai fui cette maison, hier et avant-hier, pour ne pas rencontrer ton regard plein de reproches. Mais je n'en peux plus. Il faut que je fasse la paix avec toi. Quoiqu'il arrive, même si nous divorçons parce que nous ne nous aimons plus, je ne pourrai pas vivre si tu me hais.

– Mais je ne te hais pas, Rand!

– Tu m'as pourtant dit...

– Mes paroles ont dépassé ma pensée et je le regrette, dit-elle en baissant les yeux.

– Amis, alors?

« Amis..., songea-t-elle. Comment s'en contenter après avoir été amants? » Elle ne pouvait lui dire cela, aussi hocha-t-elle la tête en signe d'assentiment.

– Soyons amis, oui.

Le sourire éclatant de Rand l'électrisa. Elle savait qu'elle venait de vivre un moment privilégié qui resterait gravé dans sa mémoire. Lorsqu'il ne lui resterait plus que des souvenirs, elle repenserait à ce sourire de Rand.

– Si nous allions faire un tour dans la campagne? proposa-t-il. On pourrait même pique-niquer? Il fait si beau! Qu'en dis-tu?

Alys savait que si elle tenait à sa tranquillité d'esprit, elle devait refuser. Elle n'eut cependant pas la force de résister au plaisir d'avoir Rand pour elle toute seule une dernière fois avant de le perdre définitivement. Elle accepta et Rand lui prit la main.

– Merci...

Une heure plus tard, ils étaient en voiture malgré les avertissements réitérés de Louisa qui les avait accusés d'avoir perdu tout sens commun, tout en leur préparant un pique-nique pantagruélique.

– S'il fait trop froid pour s'asseoir dehors, nous mangerons dans la voiture, et c'est tout! avait dit Rand.

Pendant la première partie du voyage vers Tesuque, ancienne résidence d'été de l'archevêque de Santa Fe, ils restèrent silencieux comme s'ils craignaient l'un et l'autre que la moindre parole ne brise la fragile trêve qu'ils avaient conclue.

A la bifurcation de San Ildefonso, Rand demanda à Alys de lui allumer une cigarette. Et leurs doigts se touchèrent lorsqu'elle lui prit des mains la cigarette qu'il avait sortie de sa poche. Alys la lui mit entre les lèvres en tremblant légèrement. Ce rituel, qui n'avait de valeur qu'à ses propres yeux, avait bouleversé Alys à l'insu de Rand. Il aspira une longue bouffée et reposa sa main sur le volant, la cigarette entre les doigts.

– Merci, dit-il à Alys avec un bref sourire. Est-ce que tu regrettes d'avoir accepté de venir?

– Oh, non! Je ne connais rien de plus beau que le Nouveau-Mexique. Ces immensités, ces montagnes...

– C'est un peu comme le Texas, du moins pour l'espace.

– Depuis quand connais-tu le Texas?

– J'y suis passé en venant à Santa Fe. Nos bureaux sont installés à Houston, maintenant.

– Ce qui signifie que le siège social n'est plus à New York?

– C'est ça. La plupart des grandes compagnies

pétrolières sont là-bas, et nous traitons exclusivement avec elles... C'était la seule chose à faire.

Rand n'aurait donc plus aucune raison d'aller à New York. Alys eut un coup au cœur en y pensant, car elle avait secrètement espéré le revoir lorsqu'il passerait à ses bureaux, à son retour de l'étranger.

– Je... je vois, articula-t-elle avec difficulté.

Il la regarda curieusement, comme s'il soupçonnait le trouble où l'avait jetée cette nouvelle, mais il ne dit rien.

Ils firent une courte halte à San Ildefonso où ils admirèrent les poteries noires du lieu... Ils ne s'arrêtèrent pas à Los Alamos, berceau de l'ère atomique, et traversèrent le Rio Grande pour se diriger vers le nord. Le soleil, qui brillait dans un ciel sans nuage, avait fait fondre la neige. Les bas-côtés étaient encore blancs, mais la chaussée était pratiquement dégagée. Ils ne se pressaient pas, et chaque fois qu'un paysage leur plaisait, Rand arrêtait la voiture, Alys sortait la bouteille thermos pleine de café et ils admiraient la nature en en buvant une tasse. Ils parlaient de tout, du panorama, de leurs lectures, des films qu'ils avaient aimés, de leur enfance... A aucun moment, ils n'évoquèrent leur problème, décidés à oublier temporairement les difficultés passées et à venir.

Retraversant le fleuve, ils filèrent vers l'est, découvrant la vallée de Chimayo célèbre pour ses vergers et sa chapelle, où avaient lieu, disait-on, des guérisons miraculeuses. Ils passèrent à Cardova, réputé pour ses artisans, avant de regagner la grand-route qui serpentait dans la montagne jusqu'à un petit village espagnol d'où l'on avait une vue imprenable sur les monts Truchas. Ils terminèrent leur promenade à Trampas où ils visitèrent l'église San Jose de Gracia.

– Tu as faim? lui demanda-t-il.

– Quelle heure est-il donc?

– Presque 2 heures! s'écria Rand après avoir jeté un coup d'œil à sa montre. Je n'ai pas vu le temps passer...

– Moi non plus! Où allons-nous?

– On trouvera bien un coin pour pique-niquer. J'ai une faim terrible, moi!

Rand découvrit une petite route qui traversait la forêt et s'arrêta dans une clairière. Alys dévora les tranches de bœuf froid, les omelettes fourrées à la viande et au fromage et les haricots chauds mis par Louisa dans un récipient isotherme...

– Tu as déjà fait un pique-nique en plein hiver? lui demanda Rand en prenant une pomme.

– Non, jamais, dit-elle en rassemblant les restes. Mais je sais maintenant que c'est l'époque idéale pour déjeuner en plein air!

– Tiens... Et pourquoi?

– D'abord, il n'y a pas de mouches. Ensuite, parce que le froid donne du goût à la nourriture... Tu sais, je n'ai jamais fait un pique-nique aussi délicieux!

– Tu oublies que ma compagnie y ajoute un charme supplémentaire!

Il alluma une cigarette de ses longs doigts racés qu'elle fixait obstinément, fascinée par l'élégance de ses gestes. Elle finit par relever la tête et ils restèrent les yeux dans les yeux, en silence, un long moment.

– Bien sûr, dit-elle. Tu es charmant quand tu veux!

– Toi aussi, répondit Rand doucement.

Un bruit dans les arbres rompit le charme. Une magnifique biche bondit d'un fourré et s'arrêta pour regarder autour d'elle. Alys retenait son souffle tandis que l'animal s'avançait dans la clairière, sans les voir, de ce pas souple et majestueux des animaux en liberté. Puis la biche s'enfonça de nouveau dans l'ombre profonde de la forêt, loin de la curiosité des hommes.

– Que c'était beau! s'exclama Alys, éperdue. Oh! Rand... Quelle belle fin pour un pique-nique! Chaque fois que je regarderai la statuette que tu m'as offerte, je reverrai cette journée!

Rand la regarda avec douceur, et comme les reflets argentés de ses cheveux brillaient au soleil, elle le trouva plus séduisant que jamais avec cette ride qui barrait sa joue quand il souriait, et cette belle bouche pleine et bien dessinée.

Soudain, il jeta sa cigarette, se leva et vint vers elle. Il se baissa et, les yeux fixés sur elle, murmura :

– Moi, c'est cette vision de toi que je n'oublierai jamais... avec tes yeux brillants de plaisir et d'excitation, ton visage ravissant, ta peau de velours et la lumière du soleil dans tes cheveux.

Se penchant vers elle, il l'embrassa tendrement sur la bouche et ajouta d'une voix sourde :

– Nous avons fait une terrible erreur, Alys. Un mariage réussi exige un don total de soi, de la part de l'un et de l'autre. Nous avons été trop égoïstes et peut-être... pas assez adultes pour le comprendre. Je voudrais tant que nous ayons tiré les leçons de notre échec et que nous ne refassions plus la même erreur... Sans cela, nous nous serons fait beaucoup de mal pour rien. J'aimerais bien aussi que tu sois heureuse, à l'avenir.

Alys avait le cœur gros et les larmes aux yeux. Rand était proche, si proche qu'elle brûlait de se jeter dans ses bras, de le supplier de l'aimer, et de lui dire qu'elle était prête à le suivre partout où il le voudrait. Mais à sa manière, il venait de lui dire adieu. Un adieu tendre et définitif. Pour lui, leur mariage était mort à tout jamais, même s'il préférait que leur amour s'achevât sans amertume.

Lorsqu'elle lui répondit, sa voix était altérée par l'émotion.

– J'espère aussi que tu seras heureux, Rand... dit-elle en un souffle.

Elle le souhaitait vraiment de tout son cœur. Elle aimerait Rand jusqu'à sa mort, qu'il le sache ou non, qu'il soit près d'elle ou à l'autre bout du monde. Elle voulait son bonheur à n'importe quel prix.

Ils firent tout pour que l'après-midi soit aussi gai et détendu que la matinée, mais pour Alys ce fut très difficile. Elle savait que tout était fini entre eux. Dans trois jours, elle aurait regagné New York et n'aurait peut-être plus jamais l'occasion d'être seule avec lui. Le souhaitait-elle, d'ailleurs? Le revoir serait certainement une souffrance pour elle... Et elle se demandait avec angoisse comment se passeraient ces trois derniers jours – n'allait-elle pas sombrer dans le désespoir alors que tout son corps se consumait de désir pour lui?

Il était tard lorsqu'ils retrouvèrent Santa Fe. Rand arrêta la voiture dans l'allée et, avant d'ouvrir sa portière pour sortir, il se tourna vers Alys, lui prit la main et lui fit un rapide baiser sur le front.

– Merci pour cette merveilleuse journée, Alys, dit-il simplement.

Trop bouleversée pour répondre, elle le regarda intensément. Puis, il lâcha brusquement sa main et ils rentrèrent à la maison.

Ce soir-là, Alys se coucha dans un état d'agitation extrême et, ne parvenant pas à s'endormir, elle se releva, mit sa robe de chambre et descendit à la cuisine pour se préparer une tasse de chocolat. La maison était parfaitement silencieuse. Elle s'assit devant la table et fixa la blancheur du mur en songeant au désert de solitude qui l'attendait. Elle resta là longtemps, immobile, les yeux pleins de larmes, l'esprit vide, tandis que le chocolat refroidissait. Elle le but enfin avec des gestes d'automate et, ayant éteint la lumière, traversa la maison plongée dans l'obscurité pour regagner sa chambre.

En arrivant en haut de l'escalier, elle vit à la lumière qui éclairait le palier que la porte de la chambre de Leila était ouverte. Elle grimpa les dernières marches et, soudain, son cœur s'arrêta de battre : Rand serrait Leila dans ses bras. Il était en pantalon de pyjama et étreignait l'infirmière en chemise de nuit transparente et dont les seins s'écrasaient contre son torse nu.

La souffrance d'Alys fut si aiguë qu'elle crut en mourir sur place. Enfin, Rand s'aperçut de sa présence et, instantanément, il s'écarta de Leila.

– Alys!

Soudain, elle se sentit des ailes. Eperdue, elle courut vers sa chambre, fuyant la voix impérieuse de Rand qui l'appelait.

– Reviens, Alys!

Elle referma la porte derrière elle et poussa le verrou. Hors d'haleine, elle s'adossa au battant tandis que, dans le couloir, il la suppliait à voix basse pour ne pas éveiller la maisonnée :

– Alys, ouvre-moi! Tu m'entends? Ouvre-moi immédiatement!

Mais elle était incapable de faire un geste, son cœur cognant dans sa poitrine, le visage baigné de larmes. Rand finit par se taire.

Dans le noir, elle alla jusqu'au lit et s'y laissa tomber, malade de désespoir.

Elle posa son front brûlant sur l'oreiller. Et, fermant les yeux, elle se dit qu'elle devait à tout prix oublier la scène qu'elle venait de voir. Et chasser Rand de son esprit, de son cœur et de son corps. De sa vie.

14

Les coups répétés qui rythmaient cruellement son cauchemar se répercutaient en ondes douloureuses dans le cerveau d'Alys. Elle se retourna dans son lit et le soleil vint frapper son visage.

Elle ouvrit les yeux.

Il faisait jour et les coups étaient bien réels...

– Alys, tu es réveillée? Laisse-moi entrer! disait la voix de Nat.

Elle se frotta les yeux pour se réveiller tout à fait.

– Entre!

– Mais la porte est fermée à clé!

Alys se leva, alla ouvrir. Nat était en robe de chambre.

– Pourquoi as-tu fermé à clé? demanda-t-elle, dévorée de curiosité.

– J'ai oublié, répondit Alys en étouffant un bâillement. J'ai dû le faire machinalement. J'en ai pris l'habitude à New York. Qu'est-ce que tu veux?

L'affreux spectacle de la veille lui revint brusquement à la mémoire, comme un coup de poignard, et elle tenta d'avoir l'air naturel.

– Il faut que je retourne travailler à la galerie, aujourd'hui encore, reprit Nat. On ne sait plus où donner de la tête, Noël et moi. Il y a l'inventaire à faire et j'ai du travail en retard, sans compter la paie... Je voulais juste te demander si tu as besoin de ma voiture...

– Ça t'ennuie si je viens avec toi? demanda Alys après une seconde d'hésitation.

– A la galerie? Mais pour quoi faire?

– M'occuper des clients, par exemple. Je te jure que je ne te dérangerai pas!

– Bien sûr que non, dit Nat en souriant. Tu sais bien que tu ne me déranges jamais... Ecoute, tu nous apporteras du café. On part dans une demi-heure!

– Je m'habille et j'arrive.

– Prends tout de même le temps de déjeuner! lui conseilla Nat en sortant.

– Je n'ai pas faim, ce matin, déclara Alys. A tout de suite!

En fait, elle préférait ne pas déjeuner plutôt que de risquer de rencontrer Rand ou Leila.

Elle mit un pantalon bleu ciel et un chemisier bleu clair assorti, et fit son lit. En se voyant dans la glace, elle se fit peur. Ses yeux étaient plus cernés que jamais. Le bleu de ses vêtements semblait accentuer sa pâleur et sa mauvaise mine, mais il était trop tard pour changer de tenue. Elle se maquilla de manière à effacer les ravages de l'insomnie sur son visage, et descendit.

En entendant des voix dans la salle à manger, elle pressa le pas mais ne se sentit vraiment en sécurité que dans la voiture, avec Nat.

La journée lui parut interminable en dépit des multiples petits services qu'elle rendit à chacun. Elle finit même par remplacer un vendeur absent pour cause de maladie, ce dont oncle Stuart lui fut très reconnaissant. Elle fit aussi beaucoup de café pour tout le monde dans un petit réduit qui se trouvait derrière la réserve.

Lorsqu'elle alla porter la première tasse de café à

Noël, il interrompit son travail pour bavarder un instant avec elle. Et elle vit bien que, malgré son entrain apparent, il n'était plus tout à fait le même. Il y avait dans son regard une tristesse qui faisait écho à celle d'Alys. Elle se sentit pleine de pitié pour lui et heureuse qu'il n'ait pas vu la scène dont elle avait été témoin. Leila lui avait fait bien assez de mal jusqu'ici. S'il avait su que la veille elle se serrait contre Rand, le coup l'aurait achevé, tout comme Alys.

Elle sentit la douleur se réveiller. Quel jeu jouait donc Leila en flirtant avec Noël pour mieux le repousser, avant de se jeter dans les bras de Rand? Oh! Rand... Non, Alys ne pourrait jamais oublier ses yeux sombres tandis qu'il étreignait Leila, ni le choc qu'il avait visiblement eu en découvrant qu'Alys les observait...

Cette horrible vision effaçait définitivement le souvenir de la merveilleuse journée qu'ils avaient passée ensemble. Et Dieu seul savait quand cette intolérable souffrance qui la torturait se calmerait...

A midi, elle alla acheter des sandwiches pour Nat, Noël, oncle Stuart et elle-même. Ils étaient tous trop occupés pour prendre le temps de déjeuner à la maison comme ils le faisaient souvent. Alys ne s'en plaignit pas car elle ne souhaitait qu'une chose : éviter Leila et Rand.

Dans l'après-midi, il y eut une heure creuse. La plupart des vendeurs n'avaient rien à faire et Alys en profita pour monter jusqu'à une petite pièce située derrière la salle d'exposition : c'était l'antre de Navajo Joe. Il était en train de fabriquer un bijou, concentré sur son travail qu'il poursuivit en silence. Elle l'observa qui ciselait un disque d'argent avec un marteau et une sorte de long clou.

Assise sur un tabouret à côté de lui, elle comprit

soudain qu'elle était devant un génie à l'œuvre. Il finit par poser ses outils et par lever vers elle ses yeux lumineux.

– Que c'est beau, Joe! J'envie ton bonheur d'avoir tant de talent...

– Bien peu de jeunes pensent comme toi, répondit-il, d'un air désabusé. Ils trouvent tous que c'est un travail qui exige une trop grande discipline et trop de concentration. La nouvelle génération est si impatiente que je me demande parfois si mon art ne mourra pas avec moi et ceux de mon âge!

– C'est impossible! s'écria-t-elle, révoltée à l'idée que le monde pourrait en arriver à rejeter des artistes de génie comme Navajo Joe ou son père.

– On ne respecte plus rien, poursuivit le vieil Indien. Ni les traditions, ni les coutumes, ni les anciens métiers, pas même le mariage et la famille! La jeunesse veut tout et tout de suite! Dans ces conditions, comment fabriquer des bijoux tels que celui-ci? Travailler toute sa vie pour élever ses enfants et leur donner de quoi démarrer dans l'existence? Les jeunes ne pensent qu'à gagner de l'argent, très vite, et à s'amuser! Les jeunes femmes ne veulent plus d'enfants, les divorces sont nombreux... Non, non, Alys, je suis content de ne plus avoir très longtemps à vivre. Ça me crève le cœur de voir le monde d'aujourd'hui, je dois être trop vieux pour le comprendre... Un jour, dit-il en montrant le merveilleux bijou qu'il venait de terminer, plus personne ne saura faire ça...

– Je pense que tu te trompes, Joe, répondit Alys. Une grande partie de la jeunesse reste attachée au savoir hérité du passé, et aux valeurs traditionnelles.

– Puisses-tu dire vrai, mon petit, puisses-tu dire vrai!

Alys pensa tout l'après-midi aux paroles du vieil

Indien. Il était évident qu'il noircissait le tableau mais tout de même... n'avait-il pas décrit en partie sa propre vie à elle? Tout, tout de suite! C'était exactement ce qu'elle avait cherché en faisant passer son travail avant son amour. Seul l'égoïsme avait pu dicter sa conduite lorsqu'elle avait voulu forcer Rand à rester à New York par amour pour elle. Pas une fois, elle n'avait tenu compte des rêves et des espérances de Rand. Elle avait imposé ses volontés. Jusqu'à garder son mariage secret. Finalement, tout s'était passé comme elle l'avait souhaité et il ne lui restait rien. Au fond, ce n'était que justice.

Lorsqu'ils rentrèrent à la maison, dans la soirée, Alys monta directement à sa chambre, toujours soucieuse d'éviter Rand. Elle aurait volontiers sauté le repas du soir, mais son absence aurait été remarquée, ce qu'elle ne voulait pour rien au monde. Elle fit contre mauvaise fortune bon cœur, et descendit.

Noël était resté à la galerie plus tard que les autres et il n'était pas encore de retour quand Alys entra au salon.

Tante Fran était là, dans un fauteuil, à côté du père Alonzo, installé sur le canapé. Tous deux parlaient à voix basse. Nat discutait avec Rand et oncle Stuart rêvassait.

Alys se servit un verre de jus de fruit et, dès qu'elle fut assise sur le canapé, elle se rendit compte de l'atmosphère lourde et tendue qui régnait dans la pièce. Quelque chose de grave était arrivé... mais quoi?

Tante Fran avait les joues en feu et semblait nerveuse, elle d'ordinaire si calme. Oncle Stuart avait l'air triste et était à l'évidence préoccupé. Jetant un bref coup d'œil à Rand, Alys constata qu'il avait les traits durs et le visage fermé. Le père

Alonzo lui-même paraissait plus sérieux et plus grave qu'à l'habitude.

Avant qu'Alys ait trouvé le courage de demander ce qui se passait, Noël entra en coup de vent, desserra son nœud de cravate et jeta son veston sur le dossier d'une chaise.

– La journée a été rude! lança-t-il à la cantonade en allant se servir à boire. Nat a travaillé dur, elle aussi! (Il jeta un regard circulaire autour de la pièce et demanda :) Leila n'est pas là? Il n'y a qu'elle qui manque... Où est-elle passée?

Il y eut un silence pesant, puis Nat dit d'une petite voix désolée :

– Elle est partie.

– Partie? Mais où? demanda Noël, incrédule.

– Je l'ai renvoyée.

C'était tante Fran qui avait parlé, d'un ton net et ferme. La nouvelle tomba sur Noël comme une bombe et il tituba sous le choc. Les yeux agrandis par la stupéfaction, il fixait sa mère.

– Qu'est-ce que tu as fait?

– Cette fille m'a menti. Et je ne pouvais le tolérer de la part d'une employée, déclara tante Fran.

– De quoi parles-tu? De quel mensonge? s'impatienta Noël, haussant le ton.

– Du calme, fiston, du calme! intervint oncle Stuart.

– Comment veux-tu que je me calme? protesta Noël en regardant son père comme s'il était un étranger. Alors, maman, de quel mensonge s'agit-il?

Rand répondit pour tante Fran qui, atteinte d'une soudaine faiblesse, fermait les yeux et se laissait aller contre le dossier de son fauteuil.

– Sabina Garett est passée cet après-midi. Elle voulait nous voir, tante Fran et moi. Leila était dans sa chambre. Il se trouve que nous avons parlé d'elle au cours de la conversation, et Sabina s'est brusquement souvenue de l'endroit où elle l'avait vue. Tu te souviens que Sabina a cru reconnaître Leila, un soir?

– Oui, et alors?

– Alors... elle l'a vue à Albuquerque, lors d'un procès que Sabina couvrait pour son journal. Le procès du père de Leila. Il a été condamné à dix-huit mois de prison pour détournement de fonds. Il est actuellement sous les verrous.

Alys resta abasourdie par cette révélation. Noël se figea sur place et tante Fran reprit :

– Elle s'est délibérément moquée de nous! Elle nous a honteusement trompés en prétendant que son père était décédé et qu'elle était originaire de Denver. S'il y a des gens que je ne peux pas souffrir, ce sont les menteurs! s'écria-t-elle avec indignation. Cette fille aurait tout aussi bien pu vouloir nous dépouiller après s'être introduite dans notre famille et avoir trouvé le chemin de nos cœurs! Dire que je la considérais déjà comme ma propre fille!

Le visage de Noël était dur et grave. Seule, la crispation d'un petit muscle de sa joue trahissait son émotion.

– Où est-elle maintenant?

– Est-ce que je sais, moi? répondit tante Fran. Je lui ai dit de faire ses valises et de partir immédiatement. Rand l'a emmenée quelque part, je crois?

Celui-ci acquiesça d'un signe de tête et laissa Mme Taylor poursuivre.

– D'ailleurs, je ne veux pas la revoir, ni plus jamais entendre parler d'elle. Non seulement elle a honteusement abusé de notre gentillesse, mais elle a eu le front de soutenir que son père était innocent et qu'elle était fière de lui quand je lui ai jeté la vérité à la figure!

Alys eut peur de s'évanouir tant elle était révoltée

et écœurée. Dieu sait qu'après la scène dont elle avait été témoin, elle avait souhaité que Leila quitte la maison des Taylor... Mais pas de cette manière. Elle se leva et regarda tante Fran bien en face.

– Je... je crois que... tu as été trop dure avec Leila, dit-elle avec douceur. Trop dure et peu charitable. Le père Alonzo, ici présent, te dirait certainement que nous devons être capables de pardonner. En mentant, Leila ne faisait que tenter de se protéger, tu le sais. Si elle avait dit la vérité au sujet de son père en arrivant ici, tu ne l'aurais jamais laissée entrer dans cette maison, n'est-ce pas?

Le regard d'Alys se posa sur oncle Stuart qui l'observait attentivement.

– Bien sûr que non, enchaîna-t-elle, répondant à sa propre question. Et tu aurais bêtement perdu une excellente infirmière. Et elle, une bonne place. Que son père fasse de la prison ou non, qu'il soit innocent ou non, quelle importance? La faute d'un père ne signifie pas automatiquement que sa fille est une voleuse... Leila travaille ici depuis plusieurs mois et il me semble que rien n'a disparu, pas même une épingle! Il vaudrait mieux juger Leila pour ce qu'elle est, à savoir une infirmière compétente et dévouée, et non pour ce que son père a fait. Vous n'êtes pas de mon avis?

– Si, naturellement, reconnut tante Fran, mais enfin, elle a menti, et c'est ce mensonge qui...

– Oui, intervint Alys en serrant les mains avec nervosité, mais j'ai bien peur, tante Fran, d'être obligée de vous donner un autre choc, aujourd'hui... Il y a trois ans que... je vis dans le mensonge, moi aussi.

– Comment? s'écria Mme Taylor, le souffle coupé.

Alys promena son regard sur chacun des visages tournés vers elle. Nat était dévorée de curiosité,

Noël avait une expression indéchiffrable, le père Alonzo semblait accablé, et oncle Stuart, ennuyé à l'idée d'avoir encore des tracas.

Quant à Rand, les sourcils froncés, il ne la quittait pas du regard. Alys n'aurait su dire ce qu'il pensait, ni s'il craignait ou non qu'elle révèle leur mariage. Mais après ce qui venait d'arriver à Leila qui avait, elle, une bonne raison de cacher la vérité, Alys ne pouvait plus s'empêcher de parler. L'heure était venue de dire la vérité. Leila avait cherché à se protéger. Mais Alys n'avait agi que par lâcheté.

Elle voulait se libérer de ce mensonge sans toutefois révéler son amour pour Rand. Cela, pour leur bien à tous deux. Elle se tourna à nouveau vers tante Fran.

– Je... je suis... mariée depuis trois ans, commença-t-elle, sachant que le plus dur restait à avouer. Et je suis la femme de... Rand, finit-elle en un murmure.

Tante Fran ouvrit la bouche, Nat poussa un petit cri. Et tous les regards convergèrent vers Rand. Alys, elle, fut incapable de se tourner vers lui.

– Mais... mais, ma chérie... balbutia Mme Taylor.

Les yeux fixés sur la moquette, Alys poursuivit son douloureux récit. Elle parla de leur rencontre inopinée à New York, de leur mariage, de son désir puéril de n'en parler à personne et de la raison de leur séparation. Elle se chargea de tous les torts puisque c'était elle qui avait refusé de le suivre.

– Et maintenant, Rand veut... divorcer, et je... ne peux l'en blâmer, balbutia-t-elle en regardant le père Alonzo comme s'il pouvait l'absoudre. Trois ans d'un mariage qui n'a de mariage que le nom suffisent amplement. Dès mon retour à New York, j'entreprendrai les démarches qui s'imposent. Je suis sincèrement désolée de vous avoir menti, ou plutôt... de vous avoir trompés. J'ai conscience de ne pas mériter d'appartenir à la famille de Rand, étant celle que je suis. Mais je jure qu'en acceptant l'invitation de Nat, j'ignorais qu'il serait là aussi. J'ai cru qu'en gardant le secret, personne n'en souffrirait jamais. Maintenant, je vais faire mes bagages et je partirai demain, par le premier avion... Je vous demande pardon à tous.

Elle s'enfuit brusquement, la vue brouillée par les larmes.

— Alys, attends! lui cria Nat.

— Non, Nat, laisse-la partir, dit Rand au moment où Alys passait la porte.

« Laisse-la partir »... Ces mots lui semblaient autant de coups de poignard tandis que, en larmes, elle trébuchait sur les marches, fuyant de nouveaux coups possibles, hagarde et désespérée.

15

Dès qu'elle fut seule dans sa chambre, Alys se mit à trembler de tous ses membres comme si elle était terrorisée. Elle claquait des dents, frissonnante et glacée. « Laisse-la partir », avait dit Rand, et personne n'avait bougé après ces mots. Personne n'avait fait un geste pour la retenir. En leur disant la vérité, elle s'était attiré leur haine. Leur silence horrifié avait parlé pour eux. Le père Alonzo lui-même n'avait pas été capable d'un seul mot de sympathie ou de réconfort.

Mais pourquoi l'aurait-il fait ? Avait-elle droit à de la sympathie ? Sûrement pas, car non seulement elle avait ruiné son mariage, mais elle avait trahi l'hospitalité chaleureuse des Taylor.

En proie à des tremblements incoercibles, elle s'effondra sur le lit et, le visage dans ses mains, elle s'abandonna à son chagrin. De violents sanglots la secouaient. Tout cela était horrible : elle avait tout perdu. Rand, bien sûr, mais aussi l'estime de tous ceux auxquels elle tenait.

Il ne lui restait plus que deux amis : Cal et sa femme, là-bas, à New York. Eux connaissaient la vérité, et ils ne s'étaient pas détournés d'elle pour autant. Evidemment, ils n'étaient pas aussi directement impliqués dans cette histoire que les Taylor... Ils étaient les seuls à accepter de lui tenir lieu de famille. Comme il lui tardait de les revoir, d'être auprès d'eux! Elle avait si désespérément besoin d'une présence amie...

Elle ravala ses larmes et alla chercher un mouchoir. Il fallait à tout prix qu'elle se ressaisisse. Elle devait se changer, faire ses bagages et trouver un endroit où passer la nuit. Elle était épuisée mais elle ne pouvait se permettre de se laisser aller. Elle devait partir sur-le-champ. Partir de cette maison où personne ne souhaitait la voir rester une minute de plus.

Elle déboutonna son chemisier blanc et retira sa longue jupe noire. C'était une tenue beaucoup trop habillée pour aller dans un motel. Puis elle sortit de la penderie un pantalon rouge et la blouse assortie qui se fermait dans le dos. La fermeture Eclair ne fonctionnait pas... Etait-ce à cause du tremblement qui agitait ses mains et qu'elle ne pouvait maîtriser?

On frappa un coup sec à sa porte. L'instant d'après, Rand était dans la pièce. Son visage était de marbre, indéchiffrable.

– Qu'est-ce que tu veux? Tu viens contempler ton œuvre? demanda-t-elle avec colère.

– Non, répondit-il d'un ton calme en la dévisageant. Je viens voir si tu as fini de faire tes valises.

– Je n'ai pas encore commencé, avec cette fermeture Eclair qui refuse de se fermer, dit-elle en s'acharnant dessus. Je n'y arriverai jamais!

– Allons! C'est vraiment un problème insoluble! Allez, tourne-toi.

Après une hésitation, elle le laissa s'approcher d'elle et poser ses mains chaudes sur son dos tandis qu'il faisait glisser la fermeture. Malgré l'épreuve nerveuse qu'elle venait de traverser, le contact, même léger, de ses doigts la bouleversa. Déjà, les mains de Rand s'éloignaient.

– Où sont tes valises? Je vais t'aider à les faire, proposa-t-il sans la moindre émotion apparente.

– Dans la penderie...

Tandis qu'elle pliait ses vêtements, Rand lui apportait les sous-vêtements transparents qu'elle avait soigneusement empilés dans les tiroirs de la commode. Elle l'observait à la dérobée, en train de toucher cette lingerie fine, espérant encore surprendre un trouble, un frémissement... En vain.

– Passe de l'eau sur ton visage, maquille-toi un peu... Tu as une mine effroyable!

Elle l'aurait volontiers giflé mais, au lieu de cela, elle lui obéit sans un mot de protestation. Il disait vrai. Elle avait vraiment un visage ravagé, elle le constata en se regardant dans la glace de la salle de bains.

Elle se lava rapidement et revint dans sa chambre où Rand, tranquillement installé dans un fauteuil, fumait une cigarette. Elle s'assit devant la coiffeuse et se maquilla sans pouvoir cependant rien changer à ses yeux rouges et gonflés. Enfin prête, elle se tourna vers Rand.

– Voilà. Tu peux m'aider à descendre mes valises pendant que j'appelle un taxi?

– Inutile, répondit-il en s'emparant de ses bagages. Je t'ai réservé une chambre dans un motel. Je vais t'y conduire.

Elle le remercia d'un petit signe de tête, et sortit la première. Elle avait le cœur gros de quitter cette maison sans que personne – pas même Nat – ne lui dise au revoir. Elle ne rencontra pas un chat au rez-de-chaussée. Ils étaient certainement en train de dîner, comme si de rien n'était, indifférents à son sort. Etouffant un sanglot, elle sortit et prit place dans la voiture de Rand pendant qu'il mettait les bagages dans le coffre. Le froid était mordant.

Assise à la place du passager, elle regarda la

maison où elle avait connu tant de jours heureux. Elle ne verrait pas Nat rayonner de bonheur, le jour de son mariage, l'été prochain. Elle ne verrait pas tante Fran de nouveau valide et alerte. Toutes ces joies lui étaient interdites, à présent.

La gorge nouée, elle se mordit les lèvres quand Rand démarra et, fermant les yeux pour ne pas voir disparaître la maison, elle ne les rouvrit que lorsqu'elle fut hors de vue.

Le ciel était clouté d'étoiles qui étincelaient comme des diamants. Au volant, Rand était aussi glacial que la nuit. N'osant le regarder, elle s'absorba dans la contemplation du paysage qui défilait sous ses yeux. Seuls des aboiements de chiens trouaient la nuit, de loin en loin.

Sur le parking du motel, Rand se contenta de dire en coupant le moteur :

– Reste là. Je m'en occupe.

Recrue de fatigue, elle lui fut reconnaissante de se montrer aussi serviable. Il lui avait épargné la peine de commander un taxi et de chercher un hôtel. Dans l'état de délabrement nerveux où elle était, elle n'aurait jamais eu la présence d'esprit de réserver une chambre par téléphone.

Elle resta adossée à son siège, sans force, la tête contre la vitre, les mains enfouies dans les poches de son manteau, en quête de chaleur. Rand revint presque tout de suite.

– Chambre 114, dit-il, laconique.

Il redémarra et alla garer la voiture devant la porte d'Alys, mais avant qu'il ait ouvert sa portière, elle mit une main sur son bras.

– Rand... commença-t-elle, les lèvres sèches.

Les lumières créaient des reflets mordorés dans les cheveux de Rand et dessinaient sur son visage des ombres qui semblaient menaçantes.

– Je voulais te dire... pardon. Avant que tu ne t'en

ailles... Pardon pour notre mariage raté, et pour l'avoir révélé. J'aurais dû... t'en parler avant, te demander si tu acceptais que j'en parle, balbutia-t-elle, à la torture, tandis qu'il restait de marbre. Je te demande pardon, Rand.

— Sortons, dit-il après un silence.

Ainsi il ne pouvait même pas pardonner... Quel crime plus terrible que ce qu'elle croyait avait-elle donc commis en disant la vérité, pour qu'il la haïsse à ce point?... Déjà, il tournait la clé dans la serrure et faisait entrer Alys.

— Je vais chercher tes bagages.

— Il referma la porte, la laissant découvrir sa chambre. C'était une très jolie pièce avec une moquette verte, des doubles rideaux dorés et — quelle ironie! — un immense lit. Elle y dormirait seule, en chien de fusil...

Rand revint avec les valises, et un courant d'air froid entra avec lui. Il posa les bagages et ressortit sans un mot. Alys fixa la porte d'un air incrédule : lui non plus ne lui disait pas au revoir! Elle faillit courir derrière lui... Mais non. Aveuglée par les larmes, les lèvres frémissantes, elle resta là, pétrifiée, le cœur brisé.

Soudain, la porte se rouvrit et quelqu'un entra. Se retournant, elle n'en crut pas ses yeux : c'était Rand, une valise à la main. Une valise qui lui appartenait à lui. Il referma la porte.

Alors seulement, il la regarda et s'approcha d'elle.

— Bon sang, ce n'est pas une femme que j'ai! C'est une fontaine! On dirait le Rio Grande en crue...

Il prit un mouchoir dans sa poche et le lui tendit avec un léger sourire. Incapable de bouger, elle ne le vit même pas et ce fut Rand qui sécha ses larmes. Puis il attendit qu'elle se calme un peu et l'attira contre lui :

– Mais... Rand... murmura-t-elle. Qu'est-ce qui t'arrive?

– Qu'en penses-tu? dit-il en l'embrassant tendrement. A quoi auraient servi tes larmes? Tu croyais vraiment que j'allais partir sans te dire au revoir?

Elle fit oui de la tête et il soupira en caressant sa bouche du bout des doigts.

– Tu es une adorable idiote, mon amour! Dis... que dirais-tu d'une seconde lune de miel?

Elle le regarda, bouche bée, persuadée d'avoir mal entendu. Elle était certainement en train de faire un rêve délicieux qui venait de la soif lancinante et sans espoir qu'elle avait de Rand.

Mais le baiser qu'il lui donna était bien réel. Une vague de désir l'envahit tandis que la bouche de Rand s'emparait de la sienne. Les bras puissants qui l'étreignaient étaient aussi bien réels, ainsi que les mains qui lui retiraient son manteau pour mieux chercher son corps.

Les bras autour de son cou, elle lui caressa les cheveux et glissa l'autre main sous sa chemise. Les battements rapides de son cœur et la chaleur de sa peau augmentèrent le trouble d'Alys, et lorsqu'ils s'écartèrent l'un de l'autre, Rand avait les yeux brillants de désir.

– Je n'ai jamais pu t'oublier, chérie! murmura-t-il en prenant son visage entre ses mains. Et Dieu sait pourtant que j'ai essayé! Je t'aime plus que jamais, Alys.

Elle éclata en sanglots, trop bouleversée par ce qu'elle venait d'entendre.

– Qu'est-ce que j'ai encore fait pour que tu pleures? Tu es si malheureuse que ça? Dis-moi... Oh! Alys...

– Je... je... Rand, mon amour, je t'aime si fort! Je n'arrive pas à y croire. J'étais tellement sûre de t'avoir perdu à jamais... C'est de bonheur que je pleure!

— Faudra-t-il que je te fasse pleurer jusqu'à la fin de ma vie? Parce que, tu sais, cette fois, c'est pour de bon...

— Pour toujours, Rand... dit-elle en se jetant contre sa large poitrine, le cœur dilaté d'une joie trop violente pour elle.

Quelques minutes plus tard, ils avaient enlevé leurs manteaux et Alys, radieuse, était sur les genoux de Rand.

— Il y a si peu de temps que tu parlais de divorcer et même de te remarier, dit-elle toute vibrante, serrée contre lui.

— Je sais, répondit-il en lui caressant les cheveux. Ce n'était que pour t'éprouver. Je voulais savoir quels étaient tes sentiments à mon égard.

— Mais, chéri, tu as pourtant dû t'en rendre compte, la nuit, au chalet?

Les bras de Rand se refermèrent encore plus étroitement autour d'elle.

— Tu as été merveilleuse, cette nuit-là...

— Alors, pourquoi ce brusque revirement? Pourquoi cette froideur, le lendemain matin?

— J'espérais que cela te forcerait à reconnaître que tu m'aimais, à me dire ton amour. Et j'espérais surtout que tu te déciderais à avouer la vérité aux Taylor. Je voulais... une reddition sans condition! Au lieu de cela, tu as reconnu que le divorce était notre seule issue, petite diablesse!

— Je ne voulais pas te contrarier, soupira-t-elle. Je croyais que tu voulais épouser une autre femme...

— Après la nuit que nous avions connue? Tu plaisantes! s'écria Rand avec un rire qui fit rougir Alys jusqu'aux oreilles. Je n'ai jamais voulu que toi, petite folle de mon cœur!

— Mais cette femme dont tu parlais...

– Pure invention!

– Et Sabina?

– Une excellente amie, sans plus. Elle a quitté son job à Albuquerque pour pouvoir épouser un homme d'affaires de Los Angeles. C'est lui que Sabina voulait me faire rencontrer lorsqu'elle m'a invité, le soir de notre retour.

Alys poussa un immense soupir de soulagement.

– Sabina m'a donné des cheveux blancs, et Leila aussi, dit-elle en regardant Rand droit dans les yeux. L'autre soir, tu la tenais dans tes bras...

– Tu veux une explication, je suppose? dit-il avec un large sourire.

– C'est-à-dire que... oui, je voudrais bien comprendre! répondit-elle en regrettant de n'être pas sûre de lui.

– Une tarentule.

– Une quoi?

– Il y avait une tarentule dans sa chambre. Leila a poussé un hurlement et je me suis précipité chez elle. Il a bien fallu que je rentre pour tuer cette sale bestiole qui était sur son lit. Elle a failli en mourir de terreur et elle s'est jetée dans mes bras avant que j'aie eu le temps de dire ouf! après que j'ai écrasé la bête. Et tu es arrivée juste à ce moment. Es-tu rassurée, mon adorable inquisiteur?

– Pardon...

– Tu peux être désolée! M'avoir soupçonné du pire! J'ai voulu aller me justifier, mais ta porte est restée fermée...

– Je sais, dit-elle faiblement.

– A mon tour, maintenant! Qui est ce type de New York?

– Le fruit de mon imagination. Il n'y a rien non plus entre Noël et moi, ajouta-t-elle. Tu sais qu'il est amoureux de Leila?

153

– C'est bien ce que j'ai cru comprendre. N'empê-che qu'il t'a bel et bien embrassée...

– Je ne le nie pas. Il venait de retrouver un portrait miniature de ma mère que mon père avait peint. Je me suis mise à pleurer et...

– Tes larmes font des ravages! Noël n'a pas pu y résister, tout comme moi!

Alys sourit.

– Tu dis que tu as découvert que Noël aimait Leila?

– Je m'en suis aperçu ce soir, oui. Quand tu as lâché ta petite bombe, pour être précis. Après que tu t'es enfuie à toutes jambes, tout le monde m'a harcelé de questions. Sauf Noël que tout cela lais-sait de glace. Et dès qu'il l'a pu, il a ramené la conversation sur Leila et a déclaré qu'il était amou-reux d'elle et qu'il avait l'intention de l'épouser. Qu'il me tordrait le cou si je ne lui disais pas où je l'avais emmenée...

– Quel homme, ce Noël! Mais ton cou ne porte pas de traces de strangulation? J'en conclus que tu as avoué..., dit Alys en y déposant un baiser.

– Je l'ai emmenée chez Sabina qui, après avoir révélé le pot aux roses, a été bouleversée de voir tante Fran réagir aussi violemment. Sabina ne pou-vait pas deviner que Leila n'avait rien dit... Alors, avant de partir, elle m'a glissé à l'oreille qu'en cas de malheur je pouvais l'emmener chez elle. C'est ce que j'ai fait. Il se trouve aussi que notre inestimable amie ne croit pas à la culpabilité de M. Montgome-ry. Elle a offert de nous aider et espère obtenir la révision du procès en faveur du père de Leila.

– Si tu pouvais dire vrai!

– Je crois que ton plaidoyer vibrant pour Leila a favorablement impressionné tante Fran. Ainsi que la déclaration de son fils... Je la soupçonne même de se réjouir à l'idée de l'avoir pour belle-fille. Elle aime beaucoup Leila, tu sais.

– Je suis si heureuse de tout cela...

– Enfin, dès que Noël a su où trouver Leila, il est parti comme un fou. Et il est certainement en train de faire avec elle ce que je fais avec toi! conclut Rand, et il embrassa Alys sur la bouche.

– Je désire tant qu'oncle Stuart et tante Fran me pardonnent... Je ne voudrais pas les perdre, s'inquiéta Alys lorsqu'elle eut retrouvé son souffle.

– Que veux-tu dire?

– Ils m'ont laissée partir sans un adieu...

– Parce que ce n'en était pas un! Le premier choc passé, ils ont été ravis d'apprendre que nous étions mariés. Surtout quand je leur ai dit que j'avais l'intention de t'emmener en voyage de noces pour la seconde fois! Oncle Stuart nous propose même le chalet!

– C'est vrai? s'exclama Alys, au comble de la joie. Oh, c'est formidable!

– Peut-être arriverons-nous à faire du ski, qui sait? Si nous trouvons le temps de sortir du chalet... Reste le dernier problème à régler : ton agence ou mon travail?

– Je cède mes parts à Cal et je te suis au bout du monde, s'il le faut!

– Jusqu'à Houston, chérie, ça suffira... dit-il les yeux pétillants de joie. Je ne pars plus. Du moins pour l'instant.

– Mais...

– C'était encore une ruse pour t'éprouver, expliqua-t-il en lui prenant la main. Si tu veux, lance-toi dans les affaires à Houston!

– Pas question! Je veux t'appartenir tout entière. Je serai bien trop occupée à prendre soin de toi pour faire quoi que ce soit d'autre.

– Pas même un bébé?

– Ah... là, c'est différent... ronronna-t-elle, amoureuse.

– Si tu me laisses me lever, je pourrai sortir de ma poche quelque chose qui est pour toi...

Il lui tendit une petite boîte.

– Oh, mon chéri! Que c'est beau! s'écria-t-elle en découvrant le bijou en forme de soleil qu'elle avait tant admiré à la galerie. Comment te remercier?

Il souleva le collier de son écrin pour le lui attacher autour du cou.

– Attends, lui dit-elle. Je dois d'abord retirer ma chaîne.

Elle la détacha et montra à Rand l'anneau qui y était suspendu.

– Ton alliance? s'étonna-t-il.

– Elle ne m'a jamais quittée, sauf les jours de la semaine dernière où j'étais si furieuse contre toi. Quand tu as parlé de divorce, je l'ai remise, décidée à ne l'enlever pour toujours que lorsqu'il serait prononcé.

Elle laissa tomber l'anneau dans la main de Rand. Il le regarda longuement, le visage grave, puis, très ému, il leva les yeux vers elle. Lui prenant la main gauche, il glissa, pour la seconde fois, l'alliance à l'annulaire d'Alys.

– Qu'elle ne te quitte plus jamais, murmura-t-il.

– Plus jamais, tant que nous vivrons.

97 **MAGGI CHARLES**
Les mélodies du cœur

Paul Talbot ne l'a pas reconnue...
Pianiste célèbre, il vient d'être victime
d'un accident qui lui a laissé la main gauche
paralysée. Il a pris Christa pour
une journaliste et il l'a insultée.
Eh bien, désormais, elle réservera à d'autres
sa sympathie!

98 **JACQUELINE HOPE**
L'amour vengeur

Envoyée par son frère pour affronter
Carlos Alvarado Castellon, apparenté
à toutes les familles royales de la terre,
Anne pénètre dans un bar louche de Tanger.
Le cœur battant, elle voit venir à elle
un homme d'une beauté à couper le souffle.

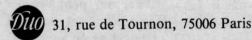 31, rue de Tournon, 75006 Paris

diffusion
France et étranger : Flammarion, Paris
Suisse : Office du Livre, Fribourg
diffusion exclusive
Canada : Éditions Flammarion Ltée, Montréal

Achevé d'imprimer sur les presses de l'imprimerie Brodard et Taupin
7, Bd Romain-Rolland, Montrouge. Usine de La Flèche,
le 25 janvier 1983. ISBN : 2 - 277 - 80096 - 1
1898-5 Dépôt Légal janvier 1983. Imprimé en France